KB183552

A Rulebook for Arguments

논증의 기술

A Rulebook for Arguments, 5th Edition
by Anthony Weston

A Rulebook for Arguments

전정판

논증의 기술

논리적으로
생각하고
말하고
쓰기의 모든 것

지은이_**앤서니 웨스턴**
옮긴이_**이주명**

필수 규칙, 살아있는 예문,
간략하고 명쾌한 설명,
논리적 사고력과 표현력 완성을 위한
최고의 안내서

필맥

논증의 기술(전정판)

지은이 | 앤서니 웨스턴
옮긴이 | 이주명

초판 1쇄 펴낸날 | 2004년 8월 1일
개정판 1쇄 펴낸날 | 2010년 7월 1일
전정판 1쇄 펴낸날 | 2019년 8월 15일
전정판 3쇄 펴낸날 | 2023년 1월 25일

펴낸이 | 문나영

펴낸곳 | 필맥
출판등록 | 제 2021-000073호
주소 | 경기도 고양시 덕양구 중앙로 542, 910호
홈페이지 | www.philmac.co.kr
전화 | 031-972-4491
팩스 | 031-971-4492

ISBN 979-11-6295-015-9 (03170)

머리말

이 책은 논증(論證, argument)을 하는 기술을 간략하게 소개하는 입문서다. 이 책에서 나는 꼭 필요하다고 생각되는 것들만 다루었다. 학생이나 글을 쓰는 사람에게는 여느 입문서처럼 길게 설명을 늘어놓은 책보다는 반드시 기억해야 할 사항과 지켜야 할 규칙의 목록이 더 필요한 경우가 많다는 사실을 나는 알게 됐다. 그래서 구체적인 규칙들을 중심으로 이 책을 구성했고, 예를 들어가며 그 규칙들을 충실하고도 간결하게 설명했다. 이 책은 교과서라기보다는 규칙집이다.

강의를 하는 사람도 이와 같은 규칙집을 학생들에게 지정해 주고 싶어 하는 경우가 많다는 사실을 나는 알게 됐다. 학생들이 스스로 이해할 수 있는 규칙집을 곁에 두고 필요할 때마다 참고할 수 있다면 불필요한 질문을 덜 하게 되어 강의가 보다 원활하게 진행될 수 있을 것이다. 이 경우에도 간략해야 하는 것이 중요하다. 학생들이 실제로 논증을 잘하도록 돕는 것이 그 목적이기 때문이다. 그러면서도 각각의 규칙은 그 주된 의미가 충분히 설명돼 있어야 한다. 그래야 강의를 하는 사람이 규칙을 설명해야 할 필요가 있다고 생각할 때마다 일일이 모든 설명을 다 하기보다 '6번 규칙'이니 '16번 규칙'이니 하고 학생들에게 해당하는 규칙을 지적해주면서 강의를 진행할 수 있을 것이다. '간략하지만 이것 하나만으로 충분하도록!' 이것이 내가 이 책을 쓰면서 지키려고 한 방침이다.

이 규칙집은 논증을 비판적으로 검토하는 방법을 다루는 강의에도 활용될 수 있다. 그런 경우에는 연습문제와 더 많은 예로 강의 내용을 보충할 필요가 있을 것이다. 하지만 그러한 연습문제와 예로 가득한 교과서는 이미 많이 나와 있으니 얼마든지 구할 수 있을 것이다. 그런데 그런 교과서는 바로 이 책과 같은 규칙집으로 보완돼야 한다. 이 책은 좋은 논증을 엮는 데 필요한 간단한 규칙들을 제공함으로써 그와 같은 교과서를 보완해준다. 비판적 사고(critical thinking)에 관한 강의를 들은 학생들이 몇 가지 오류를 공격해 무너뜨리는(또는 무너뜨리지는 못하면서 공격하기만 하는) 방법을 알게 되는 데 그치는 경우가 많은데 이래서는 안 된다. 훨씬 더 건설적인 정신으로 비판적 사고를 하는 것이 가능하다. 이 책은 그러려면 어떻게 해야 하는지를 알려주려는 하나의 시도다.

전정판[*]을 내며

이 책 《논증의 기술》은 고등학교부터 로스쿨까지 각급의 다양한 학교에서, 그리고 학교 밖의 다양한 곳에서 점점 더 널리 사용돼왔다. 이와 동시에 이 세상은 계속 변화하고 있다. 나는 이런 상황에 대응해 이번 판에 이런저런 변화를 주었다. 가장 주목할 만한 변화는 '공개토론'이라는 제목의 마지막 장이 추가된 것이다. 이 마지막 장은 이전 판에 실렸던 규칙도 일부 포함하고 있지만 대부분 새로이 추가된 규칙들로 구성됐다. 오늘날 우리의 공개토론은 매우 실망스러운 수준에 머물러 있다. 여기에는 많은 원인이 있는 것이 분명하지만, 공개토론에 필요한 예의와 윤리를 더 깊이 이해하는 것도 바람직한 공개토론이 이루어지게 하는 데 도움이 될 것이다. 나는 그 마지막 장에서 여섯 개의 간단한 규칙을 제시한다. 그것만 지켜도 공개토론을

♠ (역주) 이 책은 번역서로는 초판(2004년 8월)과 개정판(2010년 7월)에 이은 전정판(全訂版)이며, 원서(A Rulebook for Arguments)로는 5판(Fifth Edition)에 해당한다.

종전과 크게 다른 것으로 만들 수 있을 것이다.

이보다 작은 변화로는 우선 이 책의 곳곳에서 제시된 예가 새로운 것으로 많이 바뀐 점을 꼽을 수 있다. 보다 다양한 정보 원천에서 보다 새로운 예들을 찾아서 이 책에 실었다. 그러다 보니 아인슈타인을 떠나보내고 비욘세를 맞아들였다. 이번 판은 이전 판에 비해 좀 더 신선하고 좀 더 촘촘한 동시에 좀 더 읽기에 재미있다. 일부 규칙들에는 효과적으로 그 뜻을 전달하는 부제목을 달았다. 지금은 좋은 논증과 더 나은 논증방식의 필요성을 강조하는 데 주저할 때가 아니다. 이번 판에는 이런 생각이 바탕에 깔려 있고, 그래서 어쩌면 독자가 이번 판은 좀 더 날카로워졌다고 느낄지도 모르겠다.

이 책과 더불어 사용할 수 있는 보조 교과서에 관심을 갖는 교사나 학생을 위해 한마디 덧붙인다면, 데이비드 모로 (David Morrow)와 내가 함께 쓴 《논증의 연습(A Workbook for Arguments)》이 그런 교과서로 출판돼 있다. 《논증의 연습》은 《논증의 기술》의 내용을 전부 담으면서 중간 중간에 더 많은 설명과 더 폭넓은 예와 연습문제를 넣고 일부 연습문제들에 대한 본보기 해답도 싣는 방식으로 만들어졌다. 이런 방식의 교과서가 필요하며 그에 대한 수요도 있으리라는 점에 대해 나와 출판사를 설득해준 모로 교수에게 감사를 드린다. 그는 《논증의 연습》을 집필하고 출판하는 데 필요한 일의 대부분을 맡아 해주었다. 《논증의 연습》은 재판까지 나와 있다(초판 2013년,

재판 2016년). 모로 교수의 통찰력과 여러 제안은 《논증의 기술》의 이번 판이 제 모습을 갖추고 출판되는 데에도 큰 도움이 됐다.

이와 연관된 변화 가운데 하나로 《논증의 기술》의 이전 판에 실렸던 예나 주제 가운데 독자의 흥미를 비교적 많이 자극하는 것 몇 가지가 《논증의 연습》으로 옮겨간 점을 꼽을 수 있다. 대표적인 것이 신의 존재에 관한 통상적인 논증에 대한 철학자 데이비드 흄의 반론이다. 《논증의 연습》은 이 책보다 지면의 여유가 많고, 따라서 거기로 옮겨간 예나 주제는 더 깊이 있게 다뤄질 수 있었다. 《논증의 연습》은 여러 측면에서 《논증의 기술》의 자연스러운 후속편이며, 그것을 같이 사용하기를 요구하는 강의를 듣는 경우가 아니더라도 한번 읽어보기를 권한다.

《논증의 기술》이 이번 판에 이르는 동안 아주 많은 동료교수, 학생, 가족, 친구 등이 이 책에 대해 자신의 생각을 이야기해주거나 제안을 해주거나 비판을 해주었다. 이번 판을 내면서는 특히 해킷 출판사의 데버러 윌크스 사장과 직원들에게 고마운 마음이 든다. 그들의 꿋꿋한 지원과 따뜻한 격려는 판을 거듭해가며 《논증의 기술》과 《논증의 연습》을 쓰고 펴내는 일이 나에게 즐거운 동시에 최상의 결과물을 만들어내는 일이 되도록 해주었다. 그들 모두에게 감사의 말을 전한다.

2017년 7월 앤서니 웨스턴

차례

들어가는 글

논증은 왜 하는 걸까?

많은 사람들이 논증을 하는 것을 자기 선입견을 새로운 형식으로 진술하는 것으로만 생각한다. 이 때문에 많은 사람들이 논증을 불쾌하고 무의미한 것으로 생각하기도 한다. 영어사전을 찾아보면 '아규먼트(argument)'의 의미에 '논증' 외에 '논쟁(disputation)'도 있다. 이 때문인지 논증을 논쟁, 즉 말다툼으로 여기는 사람들도 있다. 그러나 논쟁은 논증의 진정한 모습이 아니다.

이 책에서 '논증을 한다'는 말은 어떤 결론을 뒷받침하는 일련의 근거나 증거를 제시하는 것을 의미한다. 논증은 단지 특정한 견해의 진술이기만 한 것이 아니며 단지 논쟁이기만 한 것도 아니다. 논증은 근거를 제시해서 특정한 견해를 뒷받침하려는 노력이다. 이런 의미의 논증은 쓸모없는 것이 아니라 사실은 꼭 필요한 것이다.

논증이 꼭 필요한 첫째 이유는 여러 견해 가운데 어떤 견해가 나은지를 알아내는 방법이라는 데 있다. 모든 견해가 다 동등한 것은 아니다. 충분한 근거로 뒷받침될 수 있는 결론이 있는가 하면, 그보다 훨씬 빈약한 근거만 가진 결론도 있다. 그런데 우리는 어떤 결론이 근거가 충분하고 어떤 결론이 근거가 빈약한지를 알지 못하는 경우가 많다. 우리는 서로 다른 결론들 각각에 대해 논증을 해보고, 그런 다음에 그 논증들이 실제로 얼마나 강력한지를 확인해봐야 한다.

둘째 이유는 논증이 탐구의 수단이라는 데 있다. 예를 들어 철학자와 사회활동가 가운데 일부는 고기를 얻기 위한 '공장식 사육'은 동물에게 엄청난 고통을 주므로 정당화될 수 없으며 부도덕하다고 주장한다. 이들의 주장은 옳을까? 기존의 견해들만 참고해서는 뭐라고 말할 수 없다. 여기에는 많은 쟁점이 관련돼 있고, 따라서 우리는 여러 논증을 살펴봐야 한다. 예를 들어 우리는 인간이 아닌 다른 생물종에 대해서도 도덕적 의무를 갖는가? 아니면 인간이 겪는 고통만이 정말로 악한 것일까? 인간이 고기를 먹지 않는다면 얼마나 건강하게 살 수 있을까? 채식주의자 가운데 매우 오래 산 사람들이 있다. 이런 사실은 채식주의 식사법이 건강에 더 좋음을 보여주는가? 채식주의자가 아닌데도 장수한 사람들이 있다. 이런 점을 고려하면 채식주의 식사법은 오래 살 수 있느냐는 문제와 관련이 없는 것이 아닐까? (여기에서 장수한 사람들의 비율이 채식주의자 쪽에서 상대적으로 더 높은지를 물어보는 것을 통해 논증을 좀 더 진전시킬 수도 있다.) 그런데 채식주의자가 되면 더 건강해진다기보다는 더 건강한 사람이 채식주의자가 되는 경향이 있다고 봐야 하지 않을까? 이 모든 문제를 주의 깊게 고찰할 필요가 있으며, 그러기 전에는 정답이 무엇인지를 분명하게 알 수 없다.

'논증은 꼭 필요한 것'이라고 말할 수 있는 또 하나의 이유가 있다. 자기 나름대로 근거에 의해 잘 뒷받침된 결론에 도달한 뒤에 다른 사람들을 상대로 그 결론을 설명하거나 옹호하는 데에도 논증을 이용할 수 있다. 좋은 논증은 결론을 반복해 말하는 데 그치지 않고 다른 사람들이 스스로 판단을 할 수 있도록 근거와 증거를 제시한다. 예를 들어 당신이 가축을 기르고 활용하는 방식을 정말로 바꾸어야 한다고 확신하게 됐다면 어떻게 해서 그런 결론에 도달하게 됐는지를 설명하기 위해 논증을 이용해야 한다. 그것이 다른 사람들을 납득시키는 방법이다. 다시 말해 당신을 확신하게 만든 근거와 증거를 제시해서 다른 사람들을 납득시키는 것이다. 확고한 견해를 갖고 있는 것은 잘못이 아니다. 확고한 견해만 가지고 있고 그 밖의 다른 것은 아무것도 가지고 있지 않다면 그것이 잘못이다.

논증에 차차 익숙해질 것이다

보통 우리는 주장을 하는 것을 통해 '논증'을 하는 법을 배운다. 다시 말해 우리는 자신의 결론을 뒷받침할 근거를 전혀 갖고 있지 않은 채 자신의 결론, 즉 자신의 바람이나 의견부터 내세우는 경향이 있다. 그래도 통할 때가 있다. 적어도 아주 어릴 때에는 통한다. 사실 어린아이에게 이보다 더 좋은 방법이 있겠는가?

이와 달리 진정한 논증을 하려면 시간이 걸리고 연습이 필요하다. 근거를 잘 정리해서 제시하기, 결론을 실제의 증거에 맞추기, 반대견해를 고려하기를 비롯한 온갖 기법이 훈련돼야 한다. 우리는 좀 더 성숙해야 한다. 자신의 바람이나 의견을 잠시 제쳐두고 생각을 실제로 해야 한다.

학교가 도움이 될 수도 있지만 그렇지 않을 수도 있다. 점점 더 많은 양의 사실과 기법을 가르치는 데 관심을 두는 강의에서는 논증으로 대답해야 하는 종류의 질문을 던지도록 학생을 격려하는 일이 거의 없다. 분명히 미국의 헌법은 선거인단을 통해 대통령을 선출하도록 규정하고 있다. 이것은 사실이다. 그런데 이런 제도를 유지한다는 것이 여전히 좋은 생각일까? (이 문제에 관해서는 과거에는 그것이 좋은 생각이었던 적이 있느냐는 질문도 던져볼 수 있다. 어쨌든 이런 제도를 뒷받침하는 근거는 무엇이었을까?) 지구가 아닌 우주의 다른 어디인가에도 생명이 존재한다고 많은 과학자들이 믿고 있는 것이 사실이다. 그런데 그들은 왜 그렇게 믿는 걸까? 그들의 논증은 무엇인가? 서로 다른 답변들 각각에 대해 근거가 제시될 수 있다. 바람직한 것은 결국에는 당신이 그러한 근거 가운데 일부를 알게 될 뿐만 아니라 그것들을 저울질하는 법도 알게 되는 것이다. 그리고 당신은 스스로 더 많은 것을 찾아내는 법도 알게 될 것이다.

다시 말하지만 대부분의 경우에 그런 과정은 시간이 걸리고 연습이 필요하다. 이 책이 당신을 도와줄 것이다! 게다가 논증을 연습하는 것 그 자체가 몇 가지 흥미로운 요소를 가지고 있는 것이 분명하다. 우리의 마음이 보다 유연하고 개방적으로 되며, 보다 빈틈없게 된다. 우리는 자신의 비판적 사고가 실제로 얼마나 큰 차이를 만들어낼 수 있는지를 알게 된다. 매일의 가정생활에서부터 정치, 과학, 철학은 물론이고 더 나아가 종교에 이르기까지 모든 영역에서 우리가 생각해봐야 할 논증이 끊임없이 우리에게 제시되고 있다. 그리고 우리는 그것에 대응해 우리 자신의 논증을 제시할 수 있다. 이렇게 펼쳐지는 지속적인 대화 속에 당신 자신이 끼어들 자리를 만드는 방법이 바로 논증이라고 생각하라. 이보다 더 좋은 방법이 있겠는가?

이 책의 얼개

이 책은 아주 간단한 논증을 살펴보는 일에서 시작하여 길게 확장된 논증을 살펴보는 일로 넘어간다. 또한 글을 쓰는 데, 말로 프레젠테이션을 하는 데, 공개토론을 하는 데 논증을 이용하는 방법을 살펴본다.

1장부터 6장까지는 간단한 논증을 구성하고 평가하는 것에 대해 설명한다. 간단한 논증은 보통 몇 개의 문장이나 하나의 구절로 단순히 근거와 증거들을 간략하게 제시한다. 우리가 간단한 논증에서 시작하는 데는 몇 가지 이유가 있다. 첫째 이유는 간단한 논증은 흔히 쓰이는 것이라는 데 있다. 그것은 사실 너무 흔해서 매일 일상적으로 이루어지는 대화의 일부가 되고 있을 정도다. 둘째 이유는 긴 논증은 보통 간단한 논증을 부연 설명한 것이거나 몇 개의 간단한 논증을 연결한 것이라는 데 있다. 먼저 간단한 논증을 쓰고 평가하는 기법을 배우고 나면 글이나 프레젠테이션에서 긴 논증을 하는 데 그 기법을 확대 적용할 수 있다.

간단한 논증에서 시작하는 셋째 이유는 흔히 쓰이는 논증의 형식과 논증에서 저질러지는 전형적인 잘못을 간단한 논증이 아주 잘 보여준다는 데 있다. 긴 논증에서는 간단한 논증에서보다 주된 요점과 주된 문제점을 분간해내기가 더 어렵다. 그러므로 논증의 규칙들 가운데 일부는 처음 진술될 때 너무 빤해 보일지도 모르지만, 그래도 간단한 논증에서는 단순한 예의 이점을 얻을 수 있음을 기억하라. 간단한 논증에서도 파악하기가 어려운 논증의 규칙들도 있다.

7장은 확장된 논증의 밑그림을 그리는 방법, 다음으로 그것을 다듬는 방법, 그 과정에서 반대견해와 대안을 검토하는 방법을 당신에게 일러줄 것이다. 8장은 논증글을 쓰는 방법으로 당신을 안내할 것이다. 이어 9장에서는 구두 프레젠테이션에,

10장에서는 공개토론에 각각 적용되는 규칙들이 제시된다. 이 네 개의 장은 1~6장에 의거해 서술될 것이라고 말할 수 있다. 그 이유는 다시 말하지만 7~10장에서 다루어지는 확장된 논증은 기본적으로 1~6장에서 논의된 종류의 간단한 논증을 결합하고 다듬은 것이기 때문이다. 그러니 1~6장을 건너뛰어 그 뒤로 바로 넘어가지 말라. 당신이 글을 쓰거나 프레젠테이션을 하는 데 도움을 얻는 것을 주된 목적으로 해서 이 책을 집어 들게 됐더라도 마찬가지다. 이 책은 맨 앞부디 단숨에 읽어 내려갈 수 있을 정도로 얇다. 따라서 뒤쪽의 몇 장을 읽는 단계에 이르렀다면 당신은 그 내용을 활용하는 데 필요한 도구들을 갖고 있을 것이다. 강의를 하는 사람이라면 1장부터 6장까지는 학기의 초기에 배정하고, 7장부터 10장까지는 글쓰기, 또는 공개적인 프레젠테이션이나 토론을 다루는 시간에 배정할 수 있다.

　이 책의 끝부분에 두 개의 부록이 있다. 그 가운데 첫째 부록은 오류의 목록, 즉 범하기가 아주 쉽고 흔해서 그 나름의 이름까지 갖게 된 잘못된 논증의 유형을 열거한 것이다. 둘째 부록은 정의를 구성하고 평가할 때에 지켜야 하는 세 가지 규칙을 제시한다. 이들 규칙은 당신에게 필요할 때 이용하면 된다.

1장

간단한 논증:
몇 가지
일반적인 규칙

논증은 근거들을 정연하게 제시하고 명쾌하게 조직하는 것으로 시작된다. 1장에서는 간단한 논증을 구성하는 데 필요한 일반적인 규칙들을 제시하고, 2장부터 6장까지 다섯 장에서는 간단한 논증의 구체적인 종류들을 논의한다.

규칙 1
전제와 결론을 분별하라

논증을 하는 첫 단계는 "증명하려고 하는 것이 무엇인가?" 또는 "무엇이 결론인가?"라는 질문을 스스로에게 던져보는 것이다. 결론이란 당신이 근거를 대서 뒷받침해야 하는 진술이라는 점을 상기하라. 근거를 대는 내용의 진술이 당신의 '전제'다.

예를 들어 당신이 친구(또는 아이, 부모 등)에게 콩을 더 많이 먹을 것을 설득하고 싶어 한다고 해보자. 아마도 이것은 이 세상에서 가장 쉽게 받아들여질 제안인 것 같지도 않고 가장 중요한 제안인 것 같지도 않을 것이다. 그러나 우리가 첫 번째 예로 삼기에는 좋은 소재이며, 어쨌든 건강에 좋은 음식을 섭취하는 것은 중요한 일이다! 이러한 설득을 하기 위한 논증을 어떻게 할 수 있을지를 생각해보자.

당신은 이미 결론을 가지고 있다. 우리는 콩을 더 많이 먹어야 한다는 것이다. 그것이 당신의 믿음이다. 그런데 왜 그래야 하는가? 근거가 무엇인가? 당신은 그 근거를 스스로에게 진술해볼 필요가 있을 것이다. 무엇보다 근거를 분명하게 전달하기 위해서는 그래야 한다. 그런 다음에 그 근거가 정말로 설득력이 있는지를 점검해야 한다. 다른 사람이 당신의 제안에 수긍하고 자기가 먹는 것을 변경하게 되기를 기대한다면 당신은 설득력이 있는 근거를 분명하게 진술해야 하는 것이 틀림없다.

그러니 다시 물어보겠다. 당신의 근거는 무엇인가? 주요 전제 가운데 하나는 아마도 콩은 건강에 좋은 식품이라는 것일 게다. 콩은 지금 대다수 사람들이 먹는 다른 식품들에 비해 섬유질과 단백질이 많이 들어있고 지방질과 콜레스테롤은 적게 들어있는 식품이다. 그러므로 다른 식품들로 적절히 보완하면서 콩을 더 많이 먹는 식습관은 더 오래, 그리고 더 활동적으로 사는 결과를 가져올 수 있다. 친구나 가족이 이미 이와 같은 근거를 들어봤거나 그 의미를 잘 인식하고 있을지도 모른다. 그렇더라도 적어도 그것을 상기시키는 것은 유용한 일이다.

다른 사람으로 하여금 콩을 더 많이 먹어야겠다는 생각을 갖게 하려면 주요 전제를 하나 더 대는 것이 도움이 될 수 있다. 콩 요리는 다 그게 그거여서 입맛이 당기지 않는다는 고정관념을 가진 사람이 많다는 점을 고려해 실제로는 콩 요리가 다양할 뿐 아니라 입맛이 당기게 만들 수도 있다고 주장해볼 수 있지 않을까? 예를 들어 양념한 검은콩 타코 필링, 병아리콩으로 만든 후무스 등이 당신 자신도 좋아할 만한 콩 요리일 수 있다. 그렇다면 이제 당신은 하나의 논증을 확보한 셈이다. 분명한 결론에 대한 설득력 있고 견고한 근거를 두 개나 갖게 된 것이다.

웃기는 농담도 그 근거가 터무니없게 여겨질는지는 몰라도 논증이 될 수 있다.

지구에 사는 것이 고된 일일 수도 있지만, 누구나 지구에 살기만 하면 해마다 한 번씩 공짜로 태양 주위를 한 바퀴 돌 수 있는 무임승차권을 얻게 된다.♠

태양 주위 회전 무임승차권을 얻게 되는 것은 삶이 고되어 졌을 때에 참고 견디기 위한 근거로 당신이 정상적으로 기대하는 종류의 것은 아니다. 이 점이 이 농담을 우스꽝스러운 것으로 만든다. 그럼에도 그것이 하나의 근거가 되기는 한다. 이 농담은 삶이 때때로 그래 보이는 것처럼 그렇게 아주 나쁜 것은 아니라는 주장을 정당화하기 위한 하나의 시도다. 그러므로 그 것은 웃기는 농담형 논증이라고 부를 만한 것이다.

규칙 1(전제와 결론을 분별하라)에서 '분별하라'는 말은 두 가

....
♠ 익명으로 게시된 웃기는 농담, http://coolfunnyquotes.com, 2017년 6월 2일.

지의 서로 연관된 의미를 가지고 있다. 그 가운데 하나는 '구별
하라'는 것이다. 당신의 근거는 당신의 결론과 다른 것이다. 그
러니 근거와 결론을 분명히 떼어 놓아야 한다. 태양 주위 회전
무임승차권을 얻는다는 것은 삶이 고되어졌을 때에 참고 견
디는 것과 뚜렷하게 구별되는 생각이며, 논리적으로 선행하는
것이다. 그것은 일종의 전제다. 더 잘 참고 견딜 수 있는 것은
그 다음 순서의 어떤 것이라고 할 수 있다. 그것은 일종의 결론
이다.

　일단 전제와 결론을 구별했다면 둘 다 당신이 '견지하기'를
원하는 주장임을 확인하라. 이것이 '분별하라'가 지닌 또 하나
의 의미다. 그렇다고 확인되면 그대로 앞으로 나아가고, 그렇
다고 확인되지 않으면 그 둘을 다른 것으로 바꿔라! 어떤 경우
에나 다른 누구에게든 당신의 논증이 확실하게 받아들여질 수
있으려면 그 전에 먼저 그것이 당신 자신에게 분명해야 할 필
요가 있다.

　이 책은 논증이 취할 수 있는 여러 형식들의 목록을 제시할
것이다. 당신의 전제를 전개할 때 그 목록을 이용하라. 예를 들
어 어떤 일반화를 옹호하고 싶다면 2장을 참고하라. 2장은 일
련의 예를 전제로 제시할 필요가 있을 수 있음을 당신에게 상
기시켜주고, 그런 경우에는 어떤 종류의 예를 찾아내야 하는지
를 당신에게 말해줄 것이다. 어떤 결론을 뒷받침하는 데 6장에
서 설명되는 연역논증이 필요하다는 생각이 드는 경우에는 6

장에서 서술되는 규칙들이 어떤 유형의 전제가 당신에게 필요한지를 말해줄 것이다. 서로 다른 몇 가지 논증을 시도해본 뒤에야 잘 작동하는 논증 하나를 찾아내게 될 수도 있다.

생각을 자연스러운 순서로 펼쳐라

논증은 움직여 나아가는 것이다. 근거와 증거가 결론으로 이어진다. 그런데 다른 어떤 형태의 움직여 나아가는 것과도 마찬가지로 논증은 우아하거나 어설플 수 있고, 선명하거나 혼란할 수 있으며, 깔끔하거나 어수선할 수 있다. 당신은 자신의 논증이 명쾌하고 효율적이기를 바랄 것이다. 더 나아가 가능하다면 그것이 우아하기를 바랄 수도 있다.

콩에 관한 논증을 다시 예로 들어보자. 이제 당신이 자신의 논증을 써보려고 한다면 어떻게 해야 할까? 하나의 좋은 방식은 아래와 같은 것이다.

우리는 콩을 더 많이 먹어야 한다. 그 근거 가운데 하나는 콩은 건강에 좋다는 것이다. 콩은 지금 대다수의 사람들이 먹는 다른 어떤 식품보다 섬유질과 단백질이 많이 들어있고 지방질과 콜레스테롤이 적게 들어있는 식품이다. 한편으로 콩 요리는 매우 다양하고 입맛이 당기게도 할 수 있다. 양념한 검은콩 타코 필링이나 후무스를 생각해보라.

이 구절에서 문장 하나하나는 다음 문장이 등장할 길을 놓아주고, 그 길로 다음 문장이 자연스럽게 등장해 제 역할을 수행한다. 이 구절의 논증은 결론을 진술하는 것으로 시작한다. 그 결론은 전제를 진술하도록 요청하고, 논증은 이에 응해 곧바로 하나의 주요 전제를 진술하고, 이어 그 전제에 대해 간략하게 근거를 제시하는데, 콩이 건강에 좋은 이유를 설명하는 부분이 바로 그것이다. 그런 다음에 논증은 또 하나의 주요 전제와 그 사례를 제시한다. 이 논증은 다른 방식으로 배열할 수도 있다. 예를 들어 두 번째 주요 전제를 첫 번째로 제시할 수도 있고, 맨 앞에서 진술한 결론을 맨 뒤로 옮길 수도 있다. 논증의 부분들을 어떤 방식으로 배열하더라도 그 각각의 부분이 적당한 자리에 놓이게 할 수 있다.

논증이 이렇게 자연스럽게 펼쳐지게 했다면 그것은 일종의 성취이며, 특히 논증이 더 자세하고 복잡해질수록 더 그렇다. 각각의 부분을 올바른 제 자리에 놓는 것은 쉬운 일이 아니며, 각각의 부분이 잘못 놓일 수 있는 자리가 여러 군데 있을 수 있다. 예를 들어 우리가 위의 논증을 그 대신에 아래와 같이 쓴다고 해보자.

양념한 검은콩 타코 필링이나 후무스를 생각해보라. 콩은 지금 대다수의 사람들이 먹는 다른 어떤 식품보다도 섬유질과 단백질이 많이 들어 있고 지방질과 콜레스테롤이 적게 들어있는 식품이다. 콩 요리는 매우

다양하고 입맛이 당기게도 할 수 있다. 우리는 콩을 더 많이 먹어야 한다. 콩은 건강에 좋다.

이 논증에도 똑같은 두 개의 전제와 하나의 결론이 들어있지만, 그것들이 다른 순서로 놓였다. 그리고 이 논증의 어디에도 독자가 전제와 결론을 식별하도록 도와주는 푯말이나 연결 어구('그 근거 가운데 하나는……'과 같은 말)가 들어있지 않다. 그 결과로 이 논증은 완전히 혼란스러워 읽고도 이해하기가 어렵다. 콩 요리가 얼마나 맛있어 보이게 될 수 있는지와 같은 주요 전제에 대한 사례가 그러한 전제가 진술된 바로 다음에 나오지 않고 엉뚱한 곳에 가 있다. 이 논증의 결론이 무엇인지를 확인하려면 전체 구절을 두 번은 읽어야 할 것이다. 독자들이 그렇게 인내심이 강하다고 믿어서는 안 된다.

가장 자연스러운 순서를 찾아내기 위해서는 당신의 논증을 여러 번 다시 배열해봐야 할 것이라고 생각하라. 다시 말하지만, 이 책이 제공하는 규칙들이 도움이 될 것이다. 그 규칙들을 활용하면 어떤 종류의 전제들이 필요한지뿐만 아니라 어떻게 해야 그 전제들이 최선의 순서로 배열되는지도 파악할 수 있을 것이다.

규칙 3

믿을 만한 전제로 시작하라

전제에서 출발해 결론으로 가는 논증을 아무리 잘 전개했다고 해도 전제가 설득력이 없다면 결론 역시 설득력이 없을 것이다.

> 오늘날 이 세상의 어느 누구도 정말로 행복하지는 않다. 따라서 인류는 행복하도록 돼있지 않은 것 같다. 왜 우리가 결코 찾아낼 수 없는 것을 기대해야 한단 말인가?

이 논증의 전제는 '오늘날 이 세상의 어느 누구도 정말로 행복하지는 않다'라는 진술이다. 어떤 비 내리는 날 오후에나 자신이 어떤 우울한 감정에 빠져 있을 경우에는 때로 이 진술이 거의 참인 것으로 여겨질 수 있다. 그러나 이 전제가 정말로 그럴 듯한 것인지를 당신 스스로에게 물어보라. 오늘날 이 세상의 어느 누구도 정말로 행복하지는 않다는 게 사실인가? 과연 그러한가? 태양 주위를 해마다 1회전하는 지구에 우리가 무임승차하고 있다는 점에 대해서는 어떻게 생각하는가?

위 논증의 결론을 유지하려면 이 전제를 어떻게든 진지하게 방어해야 할 필요가 있지만, 그 자체가 참이 아닐 가능성이 매우 높다. 그렇다면 이 논증은 인류가 행복할 수 있게 돼있지 않은 것 같음을 증명할 수도 없고, 당신이나 내가 행복하게 되기를 기대하지 말아야 함을 증명할 수도 없다.

어떤 경우에는 믿을 만한 전제로 시작하는 것이 쉽다. 당신이 잘 알려진 예를 얼른 이용할 수 있는 상태로 갖고 있거나 당신과 똑같은 생각을 갖고 있는 믿을 만한 정보원천을 갖고 있을 수 있다. 그러나 이런 경우가 아니라면 믿을 만한 전제로 시작하는 것이 어려울 수 있다. 당신이 전제의 믿을 만함에 대해 확신할 수 없다면 약간의 조사를 해보든가, 아니면 전제 자체에 대해서도 그것을 옹호하기 위한 논증을 해야 한다(전제를 옹호하기 위한 논증에 대해 더 많이 알고 싶으면 규칙 31을 참고하라). 물론 당신의 전제에 대해 적절한 논증을 할 수 없을 때에는 무언가 다른 전제를 찾아내고 그것에 대한 논증을 시도해볼 필요가 있다.

규칙 4

구체적이고 간명해야 한다

추상적이거나 애매하거나 일반적인 말은 피하라. "우리는 뙤약볕 아래에서 몇 시간 동안이나 하이킹을 했다"라고 쓰는 것이 "장시간에 걸쳐 고되게 힘을 쏟았다"라고 쓰는 것보다 백배 낫다. 또 간명해야 한다. 허황하고 상세한 글은 읽는 사람 모두로 하여금 난무하는 단어들 속에서 길을 잃게 할 뿐이다.

잘못된 예

당신이 사는 나라의 국민 대다수가 잠자리에 드는 시간보다 이른 시간에 규칙적으로 잠자리에 드는 것은 대부분의 다른 사람들이 일어나는 시간보다 이른 시간에 일어나는 습관과 결합되면 탄력성 있는 몸의 체질, 편안하게 잘 자리 잡힌 경제적 상황, 그리고 다른 사람들의 존경을 받는 데 도움이 되기 쉬운 종류의 명민한 분별과 판단을 위한 지적인 능력 및 역량과 같은 바람직한 개인적 특성의 획득으로 이어지는 경향이 있을 것이다.

잘된 예

일찍 자고 일찍 일어나는 것은 사람을 건강하고 부유하며 현명하게 만
든다.

'잘못된 예'는 다소 지나친 예일지 모른다(당신도 그렇다고
생각하는가?). 그러나 이 예를 통해 지적하고자 하는 요점에 주
목해 주기를 바란다. 벤저민 프랭클린이 중시했던 운율이 도움
이 될 수도 있지만, 그도 분명하고 단순한 말들을 간단하게 사
용했다는 사실을 알아야 한다.

어감에 기대지 말고 실질적 근거를 대라

실제로 근거가 되는 것을 제시하라. 말의 어감만을 이용하려고 하면 안 된다.

> **한때 자랑스러웠던 여객열차가 쇠퇴하도록 놔둔 것은 정말로 불명예스러운 일이다. 미국은 지금 당장 명예를 걸고 여객열차를 부흥시켜야 한다!**

이것은 여객열차 서비스의 부흥을 주장하는 논증인 것으로 보인다. 그러나 뼈가 들어있는 말들만 보일 뿐 그 결론을 뒷받침하는 어떤 근거도 제시되지 않았다. 뼈가 들어있는 말은 정치인이 습관적으로 내뱉는 말처럼 진부하기도 하다. 여객열차는 '미국'이 무엇인가를 했거나 하지 않았기 때문에 쇠퇴했는가? 이와 관련해 무엇이 그렇게 '불명예'스러운가? '한때 자랑스러웠던' 제도 가운데 많은 것이 전성기를 지나 쇠퇴한 채로 남아 있지만 우리가 그런 제도를 모두 부흥시켜야 하는 것은 아니다. 미국이 여객열차를 '명예를 걸고' 부흥시켜야 한다는 말은 무슨 뜻인가? 그런 약속이 있었는데 깨졌다는 것인가? 그렇다면 누가 깼다는 말인가?

여객열차를 부흥시켜야 한다고 주장하기 위해 할 수 있는 말은 많다. 고속도로의 생태적 비용과 경제적 비용이 엄청나게 커지고 있는 지금과 같은 시대에는 특히 그렇다. 그런데 위의 논증은 이런 이유를 말하지 않는다는 문제점을 가지고 있다. 이 논증은 뼈가 들어있는 말들의 감정적 호소력에 모든 것을 맡기고 있지만, 막상 그 말들이 하는 일은 아무것도 없다. 그래서 우리는 글을 읽고 나서도 여전히 출발선에 머물러 있게 된다. 물론 어감은 때로는 설득력을 발휘할 수 있으며, 심지어 그래서는 안 되는 경우에도 그럴 수 있다. 그러나 여기에서 우리가 찾고자 하는 것은 실제의 구체적인 증거임을 상기하라.

이처럼 감정적인 뼈가 들어있는 말로 상대방을 비방하면서까지 당신의 논증을 그럴듯하게 보이게 하려고 하지 말라. 일반적으로 여러 사람들이 어떤 하나의 입장을 주장할 때에는 진지하게 나름의 근거를 가지고 그러는 것이다. 그들의 견해를 파악하려고 애써 보라. 그들이 가지고 있는 근거를 이해하려고 노력해 보라. 당신이 그들의 견해에 전혀 동의하지 않더라도 그래야 한다. 예를 들어 어떤 새로운 기술에 대해 의문을 제기하는 사람들이라고 해서 그들이 반드시 '동굴로 돌아가는 것'에 찬성하는 입장은 아닐 것이다(그들이 찬성하는 것은 무엇인가? 어쩌면 당신은 스스로에게 이렇게 물어볼 필요가 있을 것이다).
이와 마찬가지로, 어떤 개인이 진화론을 믿는 사람이라고 해서
그가 자신의 할머니는 원숭이였다고 주장하는 입장은 아닐 것
이다(다시 말하지만, 스스로에게 이렇게 물어볼 필요가 있다. 그 사
람이 생각하는 것은 정확하게 무엇인가?). 일반적으로 말해, 당신
이 공격하는 견해를 누군가가 가지고 있는데 어떻게 해서 그럴
수 있는지를 당신이 알지 못한다면 아마도 당신은 아직 그 견
해를 이해하지 못하고 있는 것일 게다.

쓰는 말이 일관돼야 한다

간단한 논증은 보통 그 주제나 줄거리가 단일하다. 하나이 생각이 단지 몇 단계로 표현된 정도다. 그러니 그 생각을 신중하게 선택한 말들로 분명하게 표현하고 그 말들을 그대로 반복해 쓰면서 각각의 다음 단계로 넘어가라.

윌리엄 스트렁크(William Strunk)와 E. B. 화이트(E. B. White)는 글쓰기에 관한 편람형 안내서 형태로 펴낸 고전적 저작 《문체의 기초(The Elements of Style)》에서 자신들이 '병렬식 작문'이라고 부르기도 하고 '동격의 관념들을 유사한 형식으로 표현하기'라고 부르기도 한 것의 설득력 있는 사례로 예수의 저 유명한 '여덟 가지 참 행복에 관한 선언'을 인용한다.

마음이 가난한 사람들은 행복하나니 하늘나라가 그들의 것이기 때문이다.

슬퍼하는 사람들은 행복하나니 그들은 위로를 받을 것이기 때문이다.

온유한 사람들은 행복하나니 그들은 땅을 물려받을 것이기 때문이다.

《마태복음》 5장 3~5절)

'X는 행복하나니 Y이기 때문이다'가 그 형식이다. 각각의 경우에 형식이 달라지지 않는다. 예를 들어 '또한 X인 사람들은 Y이기 때문에 축복받을 것이다'와 같은 다른 형식은 사용되지 않는다. 모든 문장이 정확하게 똑같은 구조와 정확하게 똑같은 어순으로 돼 있다. 당신의 논증도 이와 같이 되게 하라.

잘못된 예

애완용 동물을 보살피는 법을 배울 때 당신은 자신이 기르는 동물이 필요해서 요구하는 것이 무엇인지에 주의하고 그에 응해주기를 배운다. 고양이나 개가 필요해서 당신을 찾을 때 주의 깊게 관찰하고 대응하다 보면 어린 아이에 대해서도 아이가 필요해서 요구하는 것이 무엇인지를 알아차리고 그에 따라 자신의 행동을 조정하는 능력이 개선될 수 있다. 그러므로 가축에게 반응을 보다 잘하는 보호자가 되는 것은 가족을 보살피는 당신의 솜씨도 능숙하게 만들 수 있다.

어떤가? 각각의 문장이 저 홀로는 꽤 분명하다고 할 수도 있겠지만, 문장들 사이의 연관성은 덤불로 완전히 뒤덮여 보이지 않는다. 그것은 어쩌면 흥미로운 덤불일는지는 모르지만 너무 빽빽하게 엉키고 우거진 덤불이어서 그것을 헤치고 움직여 나아가기는 어렵다(논증은 움직여 나아가는 것이어야 한다는 점을 상기하라).

잘된 예

애완용 동물을 보살피는 법을 배울 때 당신은 자신이 기르는 동물이 필요해서 요구하는 것이 무엇인지에 주의하고 그에 응해주기를 배운다. 자신이 기르는 동물이 필요해서 요구하는 것이 무엇인지에 주의하고 그에 응해주기를 배울 때 당신은 더 나은 부모가 되는 법을 배운다. 그러므로 애완용 동물을 보살피는 법을 배울 때 당신은 더 나은 부모가 되는 법을 배운다.

'잘된 예'에서 화려한 글맛은 느낄 수 없을지 몰라도 논증이 대단히 명쾌하다는 장점이 그러한 단점을 메우고도 남는다. 한 가지 간단한 특징이 이러한 차이를 만들어낸 것이다. 잘못된 예는 각각의 주된 관념에 대해 그것이 등장할 때마다 새로운 어구를 사용한다. 예를 들어 '애완용 동물을 보살피는 법을 배울 때'가 '잘못된 예'의 결론에서는 '가축에게 반응을 보다 잘하는 보호자가 되는 것'으로 표현돼있다. 반면에 '잘된 예'의 논증은 주되게 사용하는 말들을 주의 깊게, 그리고 정확하게 되풀이한다.

만약 당신이 문체에 관심을 갖고 있다면(물론 때로는 그래야 한다) 가장 화려한 논증을 추구하기보다는 가장 엄밀한 논증을 추구하라.

가장 간결한 예

애완용 동물을 보살피는 법을 배울 때 당신은 자신이 기르는 동물이 필요해서 요구하는 것이 무엇인지에 주의하고 그에 응해주기를 배우며, 그럼으로써 더 나은 부모가 되는 법을 배운다.

2장

예시에 의한
논증

일반화 명제를 뒷받침하기 위해 예를 제시하는 방식이 논증이 있다. 제시하는 예는 하나인 경우도 있고 둘 이상인 경우도 있다.

옛날의 여자들은 아주 어린 나이에 결혼했다. 셰익스피어의 《로미오와 줄리엣》에서 줄리엣은 14살도 채 되지 않았다. 중세의 유대인 여자들이 결혼할 때의 나이는 보통 13살이었다. 그리고 로마제국 시대에는 많은 로마 여자들이 13살이나 이보다 더 어린 나이에 결혼했다.

이 논증은 줄리엣, 중세의 유대인 여자들, 로마제국 시대의 로마 여자들이라는 세 개의 예로부터 옛날의 많은 여자들 또는 옛날의 여자들 대부분으로 일반화를 하고 있다. 이 논증의 형식을 보다 명확하게 보여주기 위해 줄을 바꾸어가며 전제들을 열거하고 마지막 줄에 결론을 놓아 보겠다.

셰익스피어의 희곡에 나오는 줄리엣은 14살도 채 되지 않았다.

중세의 유대인 여자들은 보통 13살에 결혼했다.

로마제국 시대에는 많은 로마 여자들이 13살이나 이보다 더 어린 나이에 결혼했다.

따라서 옛날의 여자들은 대부분 아주 어린 나이에 결혼했다.

하나의 글 안에서 여러 개의 간단한 논증들이 어떻게 작동하는지를 정확하게 알아야 할 필요가 있을 때에는 이런 식으로 써보는 것이 도움이 된다.

위와 같은 전제들은 어떠한 경우에 일반화 명제를 적절하게 뒷받침할까?

한 가지 요건은 물론 제시된 예가 정확해야 한다는 것이다. 규칙 3을 떠올려보라. 믿을 만한 전제로 시작해야 한다고 했다! 줄리엣이 14살에 조금 못 미치는 나이가 아니었다면, 또는 대부분의 로마 여자들이나 유대인 여자들이 13살이나 이보다 더 어린 나이에 결혼하지 않았다면 위의 논증은 매우 허약해진다.

전제들 가운데 어느 것도 예로써 뒷받침되지 못한다면 그 전제들을 사용하는 논증은 아예 성립하지도 않는다. 논증에 사용할 예들을 점검하거나 논증을 뒷받침해줄 좋은 예들을 찾으려면 어느 정도 조사를 해야 할 필요가 있을 수 있다.

그러나 예들이 정확하더라도 그런 예들로부터 일반화를 하는 일이 그리 쉽지는 않다. 이 장에서 소개되는 규칙들은 예시에 의한 논증을 평가하는 데 간단한 점검목록으로 활용할 수 있을 것이다.

규칙 7

둘 이상의 예를 들어라

때로는 단 하나의 예만 들어도 효과적인 예시가 이루어질 수 있다. 줄리엣의 예 하나만으로도 옛날의 여자들이 어린 나이에 결혼했음을 예시할 수 있다.

그러나 단 하나의 예는 일반화를 제대로 뒷받침하지 못한다. 줄리엣의 예만 들었는데 그것이 하나의 예외에 불과할 수도 있다. 한 명의 억만장자가 누가 봐도 비참할 정도로 불행하게 됐다고 해서 그러한 사실 하나만으로 부자가 일반적으로 불행함이 증명되는 것은 아니다. 시내에 새로 생긴 어떤 음식점의 음식 한 가지가 훌륭하다는 것이 그 음식점의 메뉴 전부가 일류임을 반드시 의미하는 것은 아니다.

잘못된 예

태양광발전 전력은 널리 이용된다.

따라서 재생가능 에너지는 널리 이용된다.

태양광발전 전력은 재생가능 에너지의 여러 형태 가운데 하나이긴 하지만 오직 하나이기만 할 뿐이다. 다른 형태들은 얼마나 이용되는가?

잘된 예

태양광발전 전력은 널리 이용된다.

수력발전 전력은 오래 전부터 널리 이용돼왔다.

풍력발전 전력은 한때 널리 이용됐는데 오늘날 다시 널리 이용되고 있다.

따라서 재생가능 에너지는 널리 이용된다.

'잘된 예'는 완벽하지는 않을지 몰라도(이 점에 대해서는 규칙 11(반례를 고려하라)에서 다시 살펴본다) 이를테면 '잘못된 예'에 비해서는 더 강력한 것임이 틀림없다.

작은 규모의 집합에 대해 일반화를 할 때 가장 강력한 논증을 하고 싶다면 사례들을 전부 다 고려하거나 그 가운데 적어도 다수를 고려해야 한다. 예를 들어 당신의 형제자매에 대해 어떤 일반화를 하고자 한다면 형제자매 모두를 한 명씩 다 살펴봐야 할 것이다. 태양계의 모든 행성에 대해 일반화를 하는 경우에도 마찬가지로 해야 할 것이다.

큰 규모의 집합에 대해 일반화를 하려면 표본을 뽑아야 할 필요가 있다. 어린 나이에 결혼한 모든 옛날 여자를 다 열거하는 것은 불가능하다. 그 대신 우리의 논증은 옛날에 어린 나이에 결혼한 여자 몇 명을 뽑아서 모든 옛날 여자의 한 표본으로 제시해야 한다.

얼마나 많은 예가 필요한지는 한편으로는 뽑은 예들의 대표성이 어느 정도인지에 달려 있고(이 점은 다음에 나오는 규칙 8에서 다루어진다), 다른 한편으로는 일반화 대상 집합의 규모에도 달려 있다.

대체로 일반화 대상 집합의 규모가 크면 그만큼 더 많은 예가 필요하다. 당신이 사는 마을에 뛰어난 사람이 많다고 주장하려면 당신의 친구들이 대체로 뛰어난 사람이라고 주장할 때보다 더 많은 증거가 필요하다. 당신의 친구들에 관한 주장에 필요한 예의 수는 친구가 모두 몇 명이냐에 따라 다를 것이며, 친구의 수가 적다면 두세 명의 예만으로도 당신의 친구들이 대체로 뛰어난 사람임을 충분히 보일 수 있다. 그러나 당신이 사는 마을이 아주 작은 마을이 아닌 한 그 마을에 뛰어난 사람이 많음을 증명하려면 훨씬 더 많은 예가 필요하다.

대표성 있는 예를 들어라

많은 예를 들더라도 그 예들이 일반화 대상 집합을 제대로 대표하지 못할 수도 있다. 예를 들어 모든 곤충이 사람을 물까? 분명히 우리는 사람을 무는 수많은 곤충을 떠올릴 수 있다. 모기와 등에 같은 것들이 그런 곤충이다. 그래서 우리는 사람을 무는 곤충의 예로 자연스럽게 그런 것들을 가장 먼저 들게 된다. 어쨌든 그런 것들은 우리를 성가시게 한다! 그런데 생물학 교과서나 생물학 분야의 괜찮은 온라인 정보원천을 들여다보면 사람을 물지 않는 곤충의 종류도 매우 많다는 사실을 새삼스레 상기하게 된다. 실제로 곤충의 종류 가운데 대부분은 사람을 물지 않는다. 나방, 사마귀, 무당벌레, (대부분의) 딱정벌레 등이 그런 종류다.

이와 마찬가지로 고대 로마의 여자들을 아무리 많이 예로 들더라도 그것만으로 고대의 여자에 대해 수립할 수 있는 일반적인 결론은 거의 없다. 왜냐하면 고대 로마의 여자들이 고대의 다른 모든 여자들까지 반드시 대표하는 것은 아니기 때문이다. 고대의 여자에 관한 어떤 포괄적인 주장을 하고자 한다면 그 논증이 고대의 다른 시기에 살았거나 고대 세계의 다른 지역에서 살았던 여자들도 고려한 것이어야 한다.

우리가 개인적으로 아는 사람들을 '표본'으로 삼을 때에는 그들이 얼마나 대표성이 없는지를 간과하기 쉽다(대표성이 지극히 부족한 경우가 흔하다). 사실 자기를 제외한 다른 사람들에 대한 대표성 있는 표본을 정말로 아는 사람은 우리 가운데 혹시 있다고 하더라도 매우 적을 것이다. 그럼에도 우리는 다른 사람들에 대해 그들을 하나의 집단으로 보고 끊임없이 일반화를 한다. 우리는 예를 들어 '인간의 본성'에 관한 주장을 하거나 심지어 다음 선거에서 우리가 사는 도시의 유권자들이 투표를 어떻게 할지에 관한 주장을 할 때에 그렇게 한다.

잘못된 예

나의 이웃에 사는 사람들은 모두 학교시설의 개선과 증설을 위한 공채 발행에 관한 법안에 찬성한다. 따라서 그 법안은 통과될 것이 확실하다.

단 하나의 이웃집단이 유권자 전부를 대표하는 경우는 거의 없기 때문에 이 논증은 설득력이 없다. 이웃집단이 부유한 사람들로만 구성돼 있다면 그들은 다른 모든 지역의 사람들에게는 인기가 없는 공약을 선호할 수도 있다. 과거 대통령 선거 때 다른 지역들에서 인기가 없는 후보자가 대학가에서는 높은 지지율을 과시하곤 했던 것을 상기해보라. 게다가 특정한 지역의 ·사람들이 대통령 후보에 대해 어떠한 견해를 갖고 있는지에 대해 우리가 언제나 정확한 증거를 댈 수는 없다. 옥외 입간판을 통해 자신의 정치적 선호를 세상에 적극적으로 알리고 싶어 하는 사람들은 이웃 전체를 대표하는 단면이 될 것 같지 않다.

'학교시설의 개선과 증설을 위한 공채 발행 법안이 통과될 것이 확실함'을 제대로 논증하려면 유권자 전체를 대표할 수 있는 표본이 필요하다. 그러니 이런 표본은 가려내기가 쉽지 않다. 사실 그러기 위해서는 일반적으로 전문가의 도움이 필요하지만 여론조사 전문가들도 선거 결과에 대한 예측을 거듭해서 틀리게 한다. 예를 들어 전화 여론조사 전문가들은 휴대폰은 전화번호가 공개되지 않아 접근할 수 없다는 이유로 흔히 일반전화를 통해 여론조사를 한다. 하지만 일반전화를 사용하는 사람들은 몇몇 특정한 인구집단에 국한돼 있을 뿐만 아니라 점점 더 표본으로서의 대표성을 잃어가고 있다.

일반적으로 말해 일반화 대상인 모집단을 가장 정확하게 보여주는 단면을 찾아내야 한다. 당신이 다니는 대학에 개설된 어떤 과목에 대한 학생들의 생각을 알고 싶다면 당신의 친구들에게만 의견을 물어봐서도 안 되고, 교실에서 당신이 들은 다른 학생들의 이야기만 가지고 일반화를 해서도 안 된다. 당신이 폭넓은 친구집단을 가지고 있지 않은 한 당신의 개인적인 표본이 학생집단 전체의 모습을 정확하게 반영할 가능성은 매우 낮다. 이와 비슷한 예로 다른 나라 사람들이 미국에 대해 어떻게 생각하는지를 알고 싶다면 미국에 온 외국인 관광객들에게만 의견을 물어봐서는 안 된다. 왜냐하면 그들은 스스로 선택해서 미국에 온 사람들이기 때문이다. 다양한 해외 대중매체를 신중하게 살펴보는 것이 오히려 당신으로 하여금 보다 더 대표적인 외국인들의 태도를 알게 해줄 것이다.

당신의 표본이 사람들일 때에 주의해야 할 훨씬 더 기본적인 요건은 누구나 자기 마음대로 그 표본에 들어갈 수 있어서는 안 된다는 것이다. 이로 인해 각 개인이 스스로 응답할지 말지를 결정할 수 있는 온라인 여론조사나 우편 여론조사의 거의 모두가 곧바로 실격된다. 또한 자신의 견해를 기꺼이 표시하려고 하거나 표시하기를 간절히 원하는 사람들로 이루어진 집단은 모집단 전체를 대표하지 못할 것이 거의 확실하다. 그들은 강한 견해나 많은 여유시간을 가진 사람들일 가능성이 높다. 그런 집단이 어떤 생각을 갖고 있는지를 아는 것도 어쨌든 흥미로운 일일 수 있다. 그러나 그들이 반드시 자기가 아닌 다른 누군가를 대변하기 때문에 그렇다는 말은 아니다.

배경비율이 결정적일 수 있다

내가 임금의 궁사라는 것을 당신에게 납득시키기 위해서는 내가 쏜 화살이 과녁에 명중한 증거물을 당신에게 보여주는 것만으로는 충분하지 않다. 당신은 이렇게 물을 것이다(물론 공손하게). "알겠습니다. 그런데 그동안 당신이 화살을 과녁에 제대로 맞히지 못한 것은 몇 번이나 됩니까?" 화살을 한 번 쏘아 과녁에 명중했든 천 번 쏘아 한 번 과녁에 명중했든 내가 내 이름으로 화살을 쏘아 과녁에 명중한 기록을 갖게 되는 것은 마찬가지이지만, 내용상으로는 두 경우의 이야기가 서로 다르다. 좀 더 많은 데이터가 필요하다.

레온은 자기가 갖고 있는 천궁도로 별점을 쳤는데 자기가 쾌활한 낯선 사람을 만나게 될 것이라는 결과가 나왔고, 실제로 그런 사람을 만났다! 따라서 천궁도는 믿을 만하다.

잘못된 논증의 극단적인 예이기는 하지만, 이 논증에서 우리에게 제시된 것은 천궁도가 미래의 일을 실제로 알아맞힌 단 하나의 경우뿐이라는 데 문제가 있다. 이 증거를 올바로 평가하려면 추가로 알아야 할 다른 것이 있다. 그것은 천궁도가 미래의 일을 알아맞히지 못한 경우가 얼마나 되느냐다. 내 강의를 듣는 학생들을 조사해보면 20명이나 30명 가운데 레온과 같은 경우에 해당하는 학생이 보통 한두 명은 발견된다. 그 순간 모두가 재미있어 한다. 그러나 나머지 19명이나 29명이 갖고 있는 천궁도는 효과가 없다. 그런데 20번이나 30번의 시도에서 단 한 번만 적중하는 종류의 예측은 믿기가 어렵다. 그 적중은 어쩌다 한 번 우연히 실현된 결과인 것이다. 천궁도를 이용한 별점이 나의 활쏘기처럼 극적으로 적중하는 경우가 간혹 있을 수는 있다. 그렇더라도 그 성공의 비율은 여전히 매우 낮을 것이다.

그러므로 어떤 논증이든 소수의 생생한 예를 내세우는 경우에는 우리가 그 논증의 신뢰도를 평가하기 위해 이를테면 '적중'한 횟수와 '시도'한 횟수의 비율을 알아야 할 필요가 있다. 이것은 또다시 대표성의 문제다. 제시된 예들이 실제로 존재하는 예들의 전부인가? 방금 말한 비율이 의미가 있을 정도로 높거나 낮지는 않은가?

이 규칙은 폭넓게 적용될 수 있다. 오늘날 많은 사람들이 범죄에 대한 공포 속에서 살아간다. 상어의 공격, 테러, 기타 극적인 사건에 관한 이야기에 귀를 기울이기도 한다. 이러한 일들이 실제로 일어난다면 물론 끔찍할 것이다. 그러나 이러한 일들 가운데 어느 것이든 특정한 개인에게 실제로 일어날 확률 (이를테면 상어의 공격을 받을 확률)은 지극히 낮다. 범죄율도 계속 낮아지고 있다.

우리가 예외적인 일들에 마음을 사로잡히는 이유는 그런 일들이 텔레비전 방송이나 뉴스에 끊임없이 나오는 데 있음은 의심할 나위가 없다. 그렇다고 해서 그런 일들이 실제로 대표성을 갖고 있다고 말하려는 것은 아니다. 복권에 당첨되는 일과 같이 우리가 일어나기를 바랄 만한 일들도 마찬가지다. 어떤 개인의 입장에서든 복권에 당첨될 가능성을 나타내는 비율, 즉 복권의 당첨률은 사실상 영이라고 말할 수 있을 정도로 매우 낮다. 그러나 우리는 복권을 사기 위해 지출한 돈만 날리고 당첨되지는 않은 수많은 사람들을 바라보려고 하지 않고 당첨되어 떼돈을 번 어느 한 사람이나 극소수 사람들만 바라보려고 한다. 그러다 보니 우리가 배경비율을 실제보다 엄청나게 높게 추정하게 되어 다음 회차의 복권을 사면 떼돈을 버는 주인공이 될지도 모른다고 상상하는 것이다. 내 친구들에게는 돈을 이런데 쓰지 말고 아끼라고 말해주고 싶다. 배경비율이 그 모든 차이를 가져온다!

규칙 **10**

통계는 비판적으로 볼 필요가 있다

'숫자를 가지고 무엇이나 다 증명'할 수는 없다. 어떤 사람들은 논증에 숫자가 들어있는 것을 보면(그것이 어떤 숫자든 간에) 그런 사실만 가지고 그 논증이 훌륭한 논증임이 틀림없다는 결론을 내린다. 통계는 권위와 확실성의 분위기를 풍기는 것 같다(이 점에 대해 박사학위 소지자의 88퍼센트가 동의한다는 사실을 당신은 알고 있는가?). 그러나 사실 숫자는 다른 어떤 종류의 증거보다도 더 많은 비판적 사고를 요구한다. 당신의 두뇌를 꺼놓지 말라!

명문 운동팀을 두고 있는 일부 대학들이 선수자격 기간이 지나면 퇴학시키는 방식으로 운동선수를 착취했다는 이유로 고소당한 이후 운동선수 가운데 대학을 졸업하는 비율이 높아졌다. 이제는 많은 대학들이 운동선수 가운데 50퍼센트 이상을 졸업시킨다.

뭐 50퍼센트 이상이나? 정말 대단하다! 이 수치는 처음에는 무척 설득력이 있어 보인다. 하지만 이 수치는 위의 논증이 주장하는 바를 실제로 뒷받침하지는 못한다.

우선 '많은' 학교들이 자기네 운동선수 가운데 50퍼센트 이상을 졸업시킨다고 해도 그렇게 하지 않는 학교들도 분명히 있는 것으로 보인다. 따라서 50퍼센트 이상이라는 수치에는 운동선수를 가장 심하게 착취하는 학교들, 다시 말해 애초에 사람들을 염려하게 만든 학교들은 포함되지 않았을지도 모른다.

위 논증은 졸업비율을 제시하고 있다. 그런데 '50퍼센트 이상'이라는 운동선수의 졸업비율을 같은 학교에 다니는 모든 학생의 졸업비율과 비교하면 어떤가를 아는 것이 도움이 될 것이다. 만일 모든 학생의 졸업비율에 비해 운동선수의 졸업비율이 의미가 있을 정도로 낮다면 운동선수들이 여전히 학교당국에 속고 있는 상태일 수 있다.

위 논증의 더 중요한 문제점은 대학 운동선수의 졸업비율이 실제로 높아지고 있다고 믿게 할 만한 근거를 전혀 제시하지 않고 있다는 것이다. 왜 이렇게 말할 수 있느냐면 예전의 졸업비율과 비교하는 내용이 전혀 들어있지 않기 때문이다! 위 논증의 결론은 이제는 운동선수의 졸업비율이 '높아졌다'고 주장한다. 하지만 예전의 졸업비율을 알지 못하고서는 그것이 사실인지 아닌지를 판단할 수 없다.

이와 다른 방식으로도 숫자가 불완전한 증거만을 제시할 수 있다. 예를 들어 규칙 9는 배경비율을 아는 것이 결정적일 수 있다고 우리에게 말해준다. 그렇기에 어떤 논증이든 비율이나 퍼센트 수치를 제시한다면 그 논증은 관련된 배경정보로 사례의 전체 수도 반드시 밝혀야 한다. 대학 캠퍼스 안에서 자동차 절도가 두 배로 늘어났다고 하자. 그 두 배라는 것이 도난당한 자동차의 대수가 한 대에서 두 대로 늘어났음을 의미하는 말이라면 걱정할 게 별로 없다.

또 하나의 통계적 함정은 지나친 정밀함이다.

이 캠퍼스에서 매년 버려지는 종이컵이나 플라스틱컵은 41만 2067개다. 재활용 컵으로 전환할 때가 됐다!

나는 그런 식의 자원낭비를 종식시켜야 한다는 것에는 전적으로 찬성한다. 그리고 나는 대학 캠퍼스에서 이루어지는 낭비가 엄청난 규모에 이른다고 확신한다. 그러나 버려지는 컵의 정확한 수를 정말로 아는 사람은 아무도 없다. 그리고 버려지는 컵의 수가 매년 정확하게 똑같을 가능성은 극히 낮다. 위 논증에서 정확성이라는 겉모습은 제시된 증거를 실제 이상으로 더 권위 있는 것처럼 보이게 한다.

쉽게 조작되는 숫자도 경계하라. 질문을 던지는 방식에 따라 질문에 대한 답변이 좌우될 수 있음을 여론조사 전문가들은 아주 잘 알고 있다.

근래에 우리는 예를 들어 '여론조사'를 한다면서 그것을 통해 특정한 정치적 후보에 대한 사람들의 선호도를 변화시키려고 하는 경우까지 보게 된다. 이런 여론조사는 단지 유도질문(이를테면 "만약 그가 거짓말쟁이이거나 속임수를 쓰는 사람임을 알게 된다면 당신은 투표할 후보를 바꿀 생각이 있습니까?"라는 질문)을 던지는 것을 통해 그렇게 하려고 한다.

그런가 하면 겉으로 보기에 '엄밀한' 통계 가운데 실제로는 어림짐작이나 추세연장에 토대를 둔 것도 많다. 합법과 불법의 경계를 넘나드는 행위나 불법행위에 관한 통계자료가 그렇다. 마약 사용, 암거래, 불법체류 외국인 고용 등의 행위를 하는 사람들은 자신의 그런 행위와 관련된 사실을 드러내거나 알리지 않으려는 동기를 강하게 갖고 있다. 그러므로 그런 행위가 얼마나 널리 퍼져 있는지에 대해서는 그 어떤 일반화도 장담해서는 안 된다.

다음과 같은 논증은 어떨까?

아이들이 텔레비전을 보는 시간이 지금과 같은 속도로 계속 늘어난다면 2025년에는 아이들에게 잠을 잘 시간이 남아있지 않게 될 것이다!

이것이 옳은 이야기라면 2040년에는 아이들이 하루에 36시간이나 텔레비전을 보게 될 것이다. 이런 경우에 수학적으로는 추세연장이 얼마든지 가능하다. 그러나 추세연장은 일정한 한계를 넘으면 당신에게 아무것도 말해주지 못한다.

반례를 고려하라

반례란 당신의 일반화와 모순되는 예를 말한다. 그런 예를 만나는 건 기분 좋은 일이 아니라고? 어쩌면 그럴지도 모르겠다. 하지만 실제로는 반례가 일반화를 하는 사람에게 가장 좋은 친구가 될 수 있다. 반례를 일찍부터 제대로 이용한다면 그럴 것이다. 예외는 '규칙을 증명'하지 않는다. 오히려 정반대로 예외는 규칙이 그릇된 것임을 증명하겠다고 위협한다. 그러나 예외는 우리로 하여금 규칙을 정밀하게 다듬는 일에 나서게 할 수 있고, 우리는 그렇게 해야 한다. 그러니 반례를 일찌감치 체계적으로 찾아라. 그러는 것이 당신 자신의 일반화를 명확하게 하고 당신의 주제를 더욱 깊이 파고드는 최선의 방책이다.

다음 논증을 다시 고찰해보자.

태양광발전 전력은 널리 이용된다.

수력발전 전력은 오래 전부터 널리 이용돼왔다.

풍력발전 전력은 한때 널리 이용됐는데 오늘날 다시 널리 이용되고 있다.

따라서 재생가능 에너지는 널리 이용된다.

여기에서 제시된 예들은 태양, 바람, 비와 같은 많은 재생가능 에너지원들이 널리 이용됨을 보이는 데 도움이 되는 것이 틀림없다. 그러나 단지 더 많은 예를 생각해내려고 하기보다 반례를 생각해내려고 한다면 곧바로 당신은 이 논증이 다소 지나친 일반화임을 알게 될 것이다.

재생가능 에너지원들이 모두 널리 이용되는가? '재생가능 에너지'의 정의를 찾아보면 바다의 밀물과 썰물이나 지열에너지(지구 지하의 열)와 같은 다른 유형들도 있음을 알게 될 것이다. 그리고 좋은 일이든 나쁜 일이든 간에 어쨌든 이런 것들은 그렇게 널리 이용되지 않는다. 그 이유 가운데 하나는 그것이 지구상의 어디에나 존재하지는 않는다는 데 있지만, 존재하는 곳에서도 그것을 실제로 이용하기가 어려울 수 있다.

당신이 방어하고 싶은 어떤 일반화에 대한 반례를 생각해냈다면 당신의 일반화를 조정할 필요가 있다. 예를 들어 재생가능 에너지에 관한 위의 논증이 당신의 것이라면 그 결론을 '많은 형태의 재생가능 에너지는 널리 이용된다'로 고칠 수 있다. 이렇게 하면 당신의 논증이 한계를 인정하고 어떤 분야에서 개선이 이루어질 가능성도 인정하게 되겠지만, 그럼에도 불구하고 그 논증의 중요한 줄기는 여전히 유효할 것이다.

반례가 발견되면 당신이 실제로 말하고 싶은 것이 무엇인지에 대해 보다 깊이 생각해봐야 한다. 예를 들어 당신이 재생가능 에너지에 관한 논증을 하는 데 관심을 갖는 목적이 통상적인 재생불가능 에너지원 대신에 바로 이용해서 효과를 거둘 수 있는 대안의 에너지원이 존재함을 보이려는 데 있을 수 있다. 만약 이것이 실제로 당신의 목적이라면 반드시 모든 재생가능 에너지원이 다 널리 이용됨을 논증해야 할 필요가 없다. 일부 재생가능 에너지원만이라도 널리 이용됨을 논증하는 것으로 충분하다. 당신은 더 나아가 널리 이용되는 정두가 덜한 재생가능 에너지원을 더 개발해서 이용해야 한다고 촉구할 수도 있다.

또는 모든 재생가능 에너지원이 다 널리 이용되고 있거나 널리 이용될 수 있음을 논증하는 대신에 곳에 따라 상이한 재생가능 에너지원이 존재할 수 있음을 인정하면서 모든 곳(또는 거의 모든 곳)의 각각에 적어도 거기에서 이용될 수 있는 어떤 새생가능 에너지원이 존재함을 논증하는 것이 당신이 실제로 하고자 하는 일일 수도 있다. 이런 논증은 애초의 논증과 매우 다르면서 그것에 비해 더욱 섬세한 주장인 동시에 당신의 사고에 흥미로운 운신의 여유를 얼마간 제공한다. (이런 논증에 대해서도 반례가 찾아질 수 있을까? 이 질문에 대한 답변은 당신에게 맡기겠다.)

당신 자신의 논증을 저울질하는 경우에만 반례에 관한 질문을 스스로에게 던질 것이 아니라 다른 사람의 논증을 평가하는 경우에도 그렇게 하라. 다른 사람의 결론이 수정되거나 제한돼야 하는 것은 아닌지, 또는 보다 정교하고 복합적인 방향으로 생각을 다시 해봐야 하는 것은 아닌지를 스스로에게 물어보라. 당신 자신의 논증에 적용되는 규칙들은 다른 사람의 논증에도 똑같이 적용된다. 다른 점은 오직 하나밖에 없다. 그것은 당신 자신의 논증을 평가하는 경우라면 지나친 일반화를 스스로 바로잡을 기회를 갖게 된다는 점이다.

3장

유비에 의한
논증

규칙 7(둘 이상의 예를 들어라)에는 예외가 있다. 유비(類比, analogy)에 의한 논증, 즉 유비논증이 그것이다. 이것은 여러 개의 예를 나열해서 일반화를 뒷받침하는 대신에 하나의 특정한 예로부터 또 하나의 다른 특정한 예로 나아가는 방식으로 하는 논증이다. 그 과정에서 두 개의 예가 이러저러한 측면에서 비슷하니 또 다른 특정한 측면에서도 비슷할 것이라는 추론이 이루어진다.

러시아의 우주비행사이자 우주비행을 한 최초의 여자인 발렌티나 테레시코바는 다음과 같은 유명한 말을 했다.

여자가 철도노동자가 될 수 있다면 우주비행사는 왜 못 되겠는가?

이 말로써 테레시코바가 논증하는 바는 러시아에서 여자들은 남자들 못지않게 육체적, 기술적으로 어려운 일을 감당할 능력이 있으며 자신의 일과 나라를 위해 헌신한다는 것과 이런 사실은 여자 철도노동자의 사례로 증명된다는 것이다. 그러므로 여자는 훌륭한 우주비행사도 될 수 있다는 것이다. 이를 글로 적으면 다음과 같은 논증이 된다.

여자들은 러시아에서 자신들이 유능한 철도노동자가 될 수 있음을 증명했다.

철도노동자가 되는 것은 우주비행사가 되는 것과 유사하다(둘 다 육체적, 기술적으로 매우 어려운 일이기 때문에).

따라서 여자는 유능한 우주비행사도 될 수 있다.

두 번째 전제에서 '유사하다'라는 말에 강조 표시가 된 점에 주목하라. 어떤 논증이 두 경우 사이의 유사성을 강조하고 있다면 그것은 유비에 의한 논증일 가능성이 매우 높다.

유비에는 적절하게 유사한 예가 필요하다

유비에 의한 논증을 우리는 어떻게 평가해야 할까?

유비에 의한 논증의 첫째 전제는 유비의 대상으로 사용되는 예에 관한 어떤 주장을 한다. '믿을 만한 전제로 시작하라'는 규칙 3을 떠올리고, 그 첫째 전제가 참인지를 확인하라. 러시아에서 여자들이 스스로 유능한 철도노동자가 될 수 있음을 증명하지 않았다면 트레시코바의 논증은 말하자면 '이륙'조차 하지 못했을 것이다.

유비에 의한 논증의 둘째 전제는 첫째 전제의 예가 그 논증이 끌어내려는 결론의 예와 유사하다고 주장한다. 이 둘째 전제를 평가하려면 그 두 경우가 얼마나 적절한 유사성을 갖고 있는지를 우리는 물어봐야 한다.

두 가지 예가 모든 면에서 유사해야 하는 것은 아니다. 어쨌든 우주비행사가 되는 것은 철도노동자가 되는 것과 매우 다르다. 이를테면 열차는 날아가지 않는다. 아니, 열차가 날아간다면 그 이야기의 끝이 결코 해피엔딩이 되지 못할 것이다. 우주비행사라면 큰 망치는 휘두르지 않는 것이 좋다. 그런데 유비에 의한 논증은 적절한 유사성만을 요구한다. 전문적 기술력과 강인한 체력이 테레시코바의 진정한 주제인 것으로 보인다. 우주비행사와 철도노동자 둘 다 이 두 가지 다를 많이 요구한다.

그런데 테레시코바의 유비에서 제시된 두 가지 예는 결과적으로 얼마나 적절하게 유사할까? 오늘날의 우주비행사에게는 순전한 체력보다 실험과 과학적 관찰을 하는 전문적 능력이 더 중요하다고 당신은 생각할 수 있다. 그런 능력은 유능한 철도노동자가 되는 데에는 반드시 필요한 것이 아니다. 그러나 테레시코바가 우주비행을 했던 시대에는 강인한 체력이 훨씬 더 중요했다. 또한 몸의 크기가 작아야 한다는 점도 중요했다. 초기 우주선의 캡슐은 규모가 아주 작아서 남자보다 여자가 체격상 타기에 나았다. 또 다른 주된 요인은 초기의 러시아 우주비행사는 임무를 마치고 나면 캡슐에서 탈출해 낙하산을 타고 땅으로 내려와야 한다는 점이었다. 테레시코바는 우주비행사로 선발되기 전에 이미 뛰어난 낙하 전문가였다. 이 점이 어쩌면 가장 중요한 요인이었을 테고 강인한 체력과도 관련이 있었겠지만, 이는 철도노동자와는 무관한 이야기다.

그렇다면 테레시코바의 유비는 지금은 설득력이 그리 크지 않지만 특히 그 당시라면 어느 정도는 적절했을 것이다. 물론 그 뒤로 지금까지 성공적으로 임무를 수행한 여자 우주비행사들이 많으므로 이제는 그러한 유비 자체가 그다지 필요하지 않다.

유비에 의한 논증의 보다 흥미로운 예를 들어보자.

미국의 치페와 인디언족 추장인 애덤 노드웰이 어제 로마에서 돌발적인 행동으로 관심을 끌었다. 캘리포니아에서 출발한 비행기를 타고 로마에 도착한 노드웰은 부족의 왕을 상징하는 복장을 하고 비행기에서 내리면서, 크리스토퍼 콜럼버스가 과거에 아메리카 대륙에서 했던 것과 똑같은 방식으로 "'발견의 권리'에 따라 아메리카 인디언의 이름으로 이탈리아를 소유할 것"이라고 선언했다. 노드웰은 "나는 오늘을 '이탈리아 발견의 날'로 선언한다"고 말했다. 이어 그는 "콜럼버스는 무슨 권리로 이미 수천 년 전부터 사람들이 살아온 아메리카 대륙을 발견했다고 말했는가? 이제 나도 똑같은 권리로 이탈리아에 와서 당신네 나라를 발견했음을 선언한다"라고 말했다.♠

노드웰은 자신의 이탈리아 '발견'이 적어도 한 가지 중요한 점에서는 콜럼버스의 아메리카 대륙 '발견'과 같음을 시사한다. 이미 수천 년 동안 사람들이 살아온 지역을 자기네 것이라고 주장한다는 점에서는 자기나 콜럼버스나 마찬가지라는 것이다. 그러니 콜럼버스에게 아메리카 대륙을 자기네 것이라고

....
♠ 〈마이애미 뉴스〉, 1973년 9월 23일.

주장할 권리가 있었다면 노드웰 자신에게도 이탈리아를 자기네 것이라고 주장할 권리가 있다는 점을 역설한 것이다. 물론 노드웰에게는 이탈리아를 자기네 것이라고 주장할 권리가 전혀 없다. 그렇다면 콜럼버스에게도 아메리카 대륙을 자기네 것이라고 주장할 권리가 전혀 없었다는 이야기가 된다. 이를 논증의 형식으로 재정리하면 다음과 같이 된다.

노드웰은 '발견의 권리에 의해서'뿐만 아니라 그 어떠한 권리에 의해서도 이탈리아를 다른 민족의 것이라고 주장할 수 없다(이탈리아에는 수천 년 동안 그곳의 민족이 거주해왔으므로).

콜럼버스가 '발견의 권리에 의해서' 아메리카 대륙에 대한 권리를 주장한 것은 노드웰이 이탈리아에 대한 권리를 주장하는 것과 같다(아메리카 대륙에도 수천 년 동안 그곳의 민족이 거주해왔으므로).

따라서 콜럼버스는 '발견의 권리'에 의해서뿐만 아니라 그 어떠한 권리에 의해서도 아메리카 대륙을 다른 민족의 것이라고 주장할 수 없는 입장이었다.

노드웰의 유비는 얼마나 잘된 것일까? 20세기의 이탈리아가 15세기의 아메리카 대륙과 똑같지 않은 것은 분명하다. 20세기에 이탈리아는 나이 어린 학생들에게도 잘 알려져 있었던 반면에 15세기에 아메리카 대륙은 세계의 많은 지역에 알려져 있지 않았다. 노드웰은 탐험가가 아니었고, 그가 탔던 민간 여객기는 콜럼버스가 탔던 산타마리아호가 아니었다. 그런데 이런 차이들이 노드웰의 유비와 관련성이 있을까?

노드웰은 단지 현지의 민족이 이미 거주하고 있는 어떤 나라에 낯선 사람이 나타나서 그 나라가 자기네 것이라고 주장하는 것은 말도 안 된다는 점을 우리에게 상기시키려고 한 것일 뿐이다. 그 땅이 전 세계의 나이 어린 학생들에게 잘 알려져 있는가, 또는 그 땅을 '발견'한 사람이 어떻게 그곳에 도착하게 됐는가는 중요하지 않다. 만약 이탈리아의 땅과 그곳의 민족이 오늘날에야 비로소 '발견'됐다고 한다면 우리는 그들과 외교관계를 수립하려고 했을 것이다. 15세기에도 바로 이렇게 하는 것이 '발견'에 대한 더 적절한 대응방식이었을 수 있다. 이것이 바로 노드웰이 말하고자 한 요점이다. 이렇게 보면 그의 유비는 통념을 뒤흔들면서 훌륭한 논증을 해냈다고 말할 수 있다.

4장

권위에 근거한
논증

알아야 할 모든 것을 직접 경험해서 아는 방식으로 전문가가 될 수는 없다. 우리는 고대에 살고 있지 않으며, 따라서 고대에 여자들이 몇 살에 결혼하는 경향이 있었는지를 직접 보고 알 수는 없다. 어떤 종류의 자동차가 충돌사고 때 가장 안전하다고 단정하기에 충분한 경험을 갖고 있는 사람은 거의 없다. 우리는 스리랑카에서나 미국의 의회에서 실제로 무슨 일이 일어나고 있는지는 물론이고 심지어는 미국의 평균적인 학교 교실이나 길거리 골목에서 실제로 무슨 일이 일어나고 있는지도 직접 보고 알 수는 없다.

그 대신 우리는 세상에 관해 우리가 알 필요가 있는 것 가운데 많은 것을 우리에게 말해줄 다른 정보원천, 예를 들어 정보를 더 많이 알 수 있는 위치에 있는 사람이나 조직 또는 발표된 조사결과나 참고할 수 있는 저작에 의존해야 한다. 우리는 다음과 같이 논증하곤 한다.

X(주장하려는 것에 대해 틀림없이 잘 알고 있을 정보원천)가 Y라고 말한다.

따라서 Y는 참이다.

예를 들어보자.

오브리 드 그레이 박사는 사람들이 1000살까지 살 수 있다고 말한다.

따라서 사람들은 1000살까지 살 수 있다.

그러나 이렇게 논증하는 것은 위험한 일이다. 전문가라고 하는 사람이 과도한 자신감을 갖고 있을 수도 있고(그들도 인간이므로), 잘못된 생각을 하고 있을 수도 있으며, 심지어는 신뢰하기 어려운 사람일 수도 있다. 그리고 어쨌든 누구나 비록 악의는 없다고 하더라도 나름의 편견을 가지고 있다. 그래서 우리는 진정으로 권위 있는 정보원천이라면 충족해야 하는 기준들이 무엇인지를 알고 있어야 한다.

정보원천을 밝혀라
– 누가 뒷받침해주나?

사실에 관한 주장 가운데는 그 자체로 너무나 분명하거나 잘 알려져 있어서 그것을 뒷받침하기 위해 근거를 댈 필요가 전혀 없는 것도 있다. 미국에 50개 주가 있다는 사실이나 줄리엣이 로미오를 사랑했다는 사실은 보통은 구태여 증명할 필요가 없다.

그러나 이를테면 미국의 현재 인구에 관한 정확한 수치에 대해서는 정보원천을 밝힐 필요가 있다. 이와 마찬가지로, 우주에 여자를 보내는 것을 옹호하는 발렌티나 테레시코바의 논증을 더 발전시키기 위해서는 실제로 러시아에서 여자들이 유능한 철도노동자였다는 점과 관련된 지식을 갖고 있으면서 그러한 점을 확실하게 증명해줄 권위자를 찾아낼 필요가 있다.

잘못된 예

나는 얼굴화장과 옷단장을 하는 것이 대체로 여자의 일이 아니라 남자의 일인 문화권이 있다는 글을 읽은 적이 있다.

당신이 지금 전 세계 모든 지역의 남자와 여자가 다 우리에게 익숙한 성역할을 그대로 따르는지 아닌지를 논증하는 중이라면 위 예는 그것과는 다른 성역할을 인상적으로 보여주는 적절한 예가 된다.

그러나 이러한 종류의 성역할 차이에 대해 자신이 직접 경험해서 알고 있는 사람은 드물고, 많은 사람들에게 그것은 아마도 놀랍고 더 나아가 개연성이 없는 것으로 여겨질 것이다. 그러므로 이 논증을 결정적인 것으로 만들려면 정보원천을 밝히고 그 정보를 충분히 인용하는 방식을 취할 필요가 있다.

잘된 예

'니제르의 우다베족'에 관한 캐롤 벡위드의 고전적 연구(《내셔널 지오그래픽》 164권 4호, 1983년 10월, 483~509쪽)는 우다베족을 비롯해 서부 아프리카에 사는 풀라니 종족의 사회에서는 얼굴화장과 옷단장을 하는 것이 대체로 남자의 일이라고 보고했다.

인용의 양식은 다양하다. 당신의 목적에 맞는 인용의 양식을 찾으려면 인용의 양식들을 한데 모아놓은 안내서를 참고하라. 다만 어떤 양식의 인용이든 다른 사람들도 스스로 그 정보원천을 쉽게 찾을 수 있도록 하기에 충분한 정도로 그 정보원천에 관한 기본적인 정보를 담아야 한다.

정통한 정보원천을 찾아라
- 누가 알고 있나?

정보원천은 그 자신이 진술하는 내용을 진술할 만한 자격을 갖고 있어야 한다. 자동차회사인 혼다의 기술자는 다양한 혼다 차종의 장점에 대해 논의할 자격을 갖고 있고, 산파나 산부인과 의사는 임신과 출산에 대해 논의할 자격을 갖고 있으며, 교사는 자신이 재직 중인 학교의 상태에 대해 논의할 자격을 갖고 있다. 이런 정보원천들은 각기 적절한 경력상 배경과 관련 정보를 갖고 있기 때문에 자격을 갖고 있다고 하는 것이다. 지구적 기후변화에 관한 최선의 정보를 얻으려면 기후학자를 찾아가야지 정치인을 찾아가서는 안 된다.

특정한 정보원천이 이러한 자격을 갖고 있는지의 여부를 누구나 쉽게 알아차릴 수 없는 경우에는 논증 자체에서 그의 자격에 대해 간략하게 설명해야 한다. 오브리 드 그레이 박사가 사람들이 1000살까지 살 수 있다고 말한다고? 그런데 그런 문제에 관해 자기가 하는 말을 우리더러 믿으라고 하는 오브리 드 그레이라는 사람은 도대체 어떤 작자인 거지? 이렇게 대답할 수 있다. 그는 노화는 불가피한 것이 아니라고 주장하는 노화학자로서 노화의 원인과 노화에 대한 가능한 예방적 개입에 관한 세밀한 이론을 만들어냈다. 그는 그러한 자신의 이론을 여러 권의 저서로 세상에 알렸는데, 그 가운데 하나인 《노화에 대한 미토콘드리아 유리기 이론(The Mitochondrial Free Radical Theory of Aging)》(케임브리지대학 출판부, 1999)은 케임브리지대학이 2000년에 그에게 생물학 박사학위를 수여할 때 근거로 삼았다. 그와 같은 인물이 사람들은 1000살까지 살 수 있다는 말을 했다면 그 말이 맞을 것 같다는 생각은 들지 않더라도 적어도 그 말이 아무나 입 밖에 낸 의견이거나 비전문가의 의견은 아닐 것으로 여겨진다. 그러니 우리는 그가 하는 말을 진지하게 들어야 한다.

당신이 정보원천의 자격에 대해 설명하는 경우에는 그러는 과정에서 당신의 논증에 증거가 될 만한 것을 추가로 제시할 수 있게 되기도 한다. 이러한 점은 다음의 글을 읽어 보면 알 수 있을 것이다.

'니제르의 우다베족'에 관한 캐롤 벡위드의 고전적 연구(〈내셔널 지오그래픽〉 164권 4호, 1983년 10월, 483~509쪽)는 우다베족을 비롯해 서부 아프리카에 사는 풀라니 종족의 사회에서는 얼굴화장과 옷단장을 하는 것이 대체로 남자의 일이라고 보고했다. 벡위드와 그녀의 동료 인류학자 한 명은 우다베족과 2년 동안 같이 생활하면서 우다베족 남자들이 장시간에 걸쳐 몸치장, 페이스 페인팅, 치아 표백을 한 뒤 춤추는 행사에 참가하는 모습을 많이 관찰했다. 그녀의 글에는 관련 사진도 많이 수록돼 있다. 우다베족 여자들은 남자들이 춤추는 것을 지켜보고 논평을 하며, 남자들의 외모를 비교해 보고 자기 짝을 선택한다. 우다베족 남자들은 이에 대해 자연스러운 방식이라고 말한다. 어떤 남자는 실제로 "우리는 아름다운 외모로 여자들에게 선택된다"고 말했다.

정통한 정보원천이 '권위자'에 대한 우리의 일반적인 고정관념과 일치해야 할 필요는 없다는 데 유의하라. 권위자에 대한 우리의 일반적인 고정관념과 일치하는 사람이 정통한 정보원천은 아닐 수도 있다. 예를 들어 대학들을 점검해 보는 경우에는 정보원천으로서 최고의 권위자는 학생들이지 대학당국의 행정 담당자나 신입생 모집 담당자가 아니다. 왜냐하면 학생들의 대학생활이 정말로 어떠한지를 아는 사람은 학생들 자신이기 때문이다(이런 경우에는 당신 자신도 한 명의 대표적인 표본일 수 있다).

어느 하나의 주제에 대해 권위자인 정보원천이라고 해서 반드시 그가 의견을 제시하는 모든 주제에 대해 정통한 것은 아니라는 사실에도 유의하라.

비욘세는 완전채식주의자다. 따라서 완전채식주의는 최선의 식습관이다.

비욘세는 굉장한 연예인일는지는 모르지만 식습관 전문가는 아니다(또한 그녀가 실제로 완전채식주의자임이 완전히 확실한 것도 아니다). 이와 마찬가지로 누군가가 자기 이름 앞에 '박사'라는 호칭을 얹을 수 있는 사람이라는 이유만으로, 다시 말해 그가 어떤 분야의 박사학위를 가지고 있는 사람이라는 이유만으로 그 어떤 주제에 대해서든 의견을 개진할 자격이 그에게 있다고 말할 수는 없다.

어떤 정보원천의 지식이 여러 측면에서 제한적이더라도 우리의 지식보다 나은 경우에는 우리가 그 정보원천에 의존해야 할 수도 있다. 때로는 전쟁지역이나 정치범 재판에서, 또는 기업이나 관료집단의 내부에서 무슨 일이 일어나고 있는지에 대해 우리가 얻을 수 있는 정보 가운데 그래도 언론, 국제 인권단체, 기업감시 기관 등을 통해 걸러진 단편적인 정보가 최선의 정보일 수도 있다. 당신이 만약 이런 식으로 제한된 지식만을 갖고 있는 정보원천에 의존해야 하는 상황이라면 그러한 문제점을 인정하라. 불완전한 권위자라도 있는 것이 없는 것보다는 나은지의 여부에 대해서는 당신의 글을 읽는 사람이나 당신의 말을 듣는 사람으로 하여금 스스로 판단하게 하라.

진정으로 정통한 정보원천은 자신의 결론을 자신이 주장한다는 이유만으로 다른 사람들이 받아들이리라고 기대하는 경우가 드물다. 훌륭한 정보원천은 자신의 결론을 설명하고 방어하는 데 도움이 될 만한 근거나 증거(사례, 사실, 유비, 다른 종류의 논증 등)를 적어도 몇 개는 제시하려고 한다. 예를 들어 벅위드는 우다베족과 같이 지낸 이야기와 그 기간에 찍은 사진을 제시했다. 따라서 우리는 정보원천의 구체적인 주장 가운데 어떤 것은 그 권위에만 근거해 받아들일 필요가 있기도 하지만(예를 들어 벅위드가 어떤 경험을 했다는 그 자신의 말은 우리가 그대로 받아들여야 한다), 최선의 정보원천이라고 하더라도 그에게 자신의 전반적인 결론을 어떠한 판단에 의거하여 내렸는지, 그리고 더 나아가 어떠한 논증을 거쳐 내렸는지를 밝혀주기를 바랄 수 있다. 그 논증이 무엇인지 알아보고, 그것을 비판적으로 살펴보라.

공정한 정보원천을 찾아라

어떤 논쟁에 가장 큰 이해관계를 가진 사람은 그 논쟁과 관련된 쟁점에 대한 최선의 정보원천이 이닌 게 보통이다. 이런 사람은 때로는 진실을 말하지 않을 수도 있다. 형사재판에 기소된 사람은 유죄가 증명되기 전에는 무죄로 추정되지만, 공정한 증인의 무죄 확인 증언이 없다면 우리가 그의 무죄 주장을 완전히 믿는 경우는 드물다.

자기가 본 그대로의 진실을 언제든 말할 수 있다는 태도만으로 항상 충분한 것은 아니다. 자기가 정직하게 본 그대로의 진실도 편향된 것일 수 있다. 우리는 자신이 보고 싶어 하는 것만 보는 경향이 있다. 자신의 관점을 뒷받침해주는 정보는 주목하고 기억해두고 전달하지만, 증거가 다른 방향을 가리킬 때에는 그렇게 하려는 열의를 그다지 갖지 않을 수 있다.

그러므로 공정한 정보원천을 찾아라. 당면한 쟁점에 이해관계를 갖고 있지 않은 사람이나 조직, 그리고 정확성에 우선적이고도 주된 관심을 갖고 있는 사람이나 조직은 공정한 정보원천이 될 수 있다. 이런 예로는 대학의 과학자나 통계 데이터베이스를 들 수 있다. 공적인 큰 문제의 경우에 관련 쟁점에 대한 가장 정확한 정보를 얻고자 한다면 그 공적인 문제에 대해 어느 한쪽 편에 서있는 정치인이나 이해관계 집단에만 의존하지 말아야 한다. 제조업체의 제품에 대한 믿을 만한 정보를 얻고자 한다면 그 제조업체의 광고에 의존해서는 안 된다.

잘못된 예

내가 거래하는 자동차 딜러가 300달러를 내고 내 자동차에 녹 방지 처리를 하라고 권한다. 그는 자동차에 대해 잘 아는 사람이니 나는 그렇게 하는 게 좋겠다고 생각한다.

그 자동차 딜러는 아마도 실제로 자동차에 대해 잘 알겠지만 전적으로 믿을 만한 사람은 아닐 수도 있다. 소비자가 구매하는 제품이나 서비스에 대한 최선의 정보는 독립적인 소비재 조사기관, 즉 그 어떤 제조업체나 공급업체와도 연관돼 있지 않고 단지 가능한 한 가장 정확한 정보를 얻기를 원하는 소비자들의 질문에 답변을 해주는 소비재 조사기관에서 나온다. 어느 정도는 조사를 해보라!

잘된 예

〈컨슈머 리포트〉의 전문가들은 요즘에는 자동차 제조방법이 개선된 덕분에 자동차의 녹 문제가 거의 사라졌다면서, 자동차 딜러에게 녹 방지 처리를 해달라고 할 필요가 없다고 조언했다.(《컨슈머 리포트》, '이런 자동차 판매 속임수를 경계하라', http:// www.consumerreports.org/buying-a-car/car-sales-tricks/, 2017년 2월 2일; 사미 하즈-아사드, '새 차에 녹 방지 처리를 해야 하나?', Auto-Guide.com, 2013년 3월 21일.)

정치적인 문제에 대해서는, 그중에서도 특히 의견의 불일치가 기본적으로 통계 때문인 경우에는 인구조사국과 같은 독립적인 정부기관이나 대학의 연구소, 또는 그 밖의 다른 독립적인 정보원천을 찾아라. '국경 없는 의사들' 같은 곳은 정치를 하는 단체가 아니라 의료활동을 하는 단체이므로 다른 나라들의 인권상황에 대한 비교적 공정한 정보원천이다. 이 단체는 특정한 정부를 지지하거나 반대하려고 하지 않는다.

물론 독립성과 공정성에 대해 판단을 하는 것도 항상 쉽지만은 않다. 당신의 정보원천이 진정으로 독립적인지, 그저 독립적으로 들리는 이름으로 가장한 이해관계 집단일 뿐인지를 확인해보라. 그 정보원천에 누가 자금을 대주는지를 점검해보고, 그 정보원천의 다른 간행물을 점검해보라. 또한 그 정보원천의 과거 기록을 찾아보고, 그 정보원천이 하는 말의 어감을 관찰해보라. 극단적이거나 단순한 주장을 펴는 정보원천이나 다른 편을 공격하고 비방하는 데 가용한 시간의 대부분을 사용하는 정보원천은 그렇게 하는 것을 통해 오히려 자신이 펴는 주장의 설득력을 스스로 약화시킨다. 건설적인 논증을 제시하면서 다른 편의 논증과 증거를 책임성 있는 태도로 인정하고 전적으로 받아들이기도 하는 정보원천을 찾아라. 적어도 편향돼 있을 가능성이 있는 정보원천에서 인용된 사실적인 주장에 대해서는 직접 확인을 해보라. 훌륭한 논증은 자신의 정보원천을 밝힌다(규칙 13). 그러니 그 정보원천을 확인해보라. 증거가 정확하게 인용됐는지, 제시된 증거가 견강부회는 아닌지를 확인해보고, 도움이 될 만한 추가적인 정보를 찾을 수는 없는지를 점검하라.

정보원천을 대조점검하라
- 하나에만 매달리지 말라

다양한 정보원천들을 참고하고 비교해보라. 그렇게 하는 것을 통해 동등하게 훌륭한 다른 권위자들도 동의하는지를 알아보라. 전문가들의 견해가 뚜렷하게 엇갈리는가, 아니면 일치하는가? 전문가들의 견해가 대체로 일치한다면 그것은 받아들여도 무방한 견해다. 그리고 그것과 반대되는 견해는 우리에게 아무리 강한 호소력을 발휘한다고 하더라도 적어도 현명하지는 않은 견해일 것이다. 권위자의 견해도 때로는 틀릴 수 있음이 분명하다. 그러나 비권위자의 견해는 자주 틀린다.

다른 한편으로 때로는 어떤 주제에 대해 전문가들끼리 견해가 일치하지 않음이 대조점검을 하는 과정에서 드러나는 경우도 있다. 그런 경우에는 당신 자신의 판단을 유보하라. 사정을 정말로 잘 아는 사람이 조심스럽게 걸음을 옮기는 곳이라면 그런 곳에 두 발을 한꺼번에 굴러 덥석 뛰어들어서는 안 된다. 뭔가 다른 근거를 토대로 해서 논증을 하는 것이 나

을 것이고, 그렇지 않으면 당신의 결론에 대해 다시 생각해
보라.

그렇다면 앞에서 소개한 오브리 드 그레이와 그가 말한 대
로 우리가 1000살까지 살 수 있으리라는 기대에 대해서는 어
떠한 평가를 내려야 할까? 관련된 정보원천들을 대조점검하기
시작하면 이내 그의 저작은 잘 쓰인 것으로, 그리고 그의 연구
는 분명히 가치가 있는 것으로 널리 간주되고 있다는 사실도
드러나겠지만, 유감스럽게도 다른 전문가들 가운데 그에게 설
득되어 그의 견해를 받아들이는 사람은 거의 없다는 사실도 드
러날 것이다.♠

다수가 그의 견해에 지극히 비판적이다. 그는 일종의 외톨
이다. 그렇게 엄청나게 오래 살 수 있다는 생각에 당신의 마음
이 끌릴지는 모르겠지만 그런 생각이 현실화할 가능성이 높다
고는 믿지 말라.

대부분의 중대한 주제에 대해서는 당신이 충분할 정도로 열

....

♠ 오브리 드 그레이의 저서 《노화 끝내기》(Aubrey de Grey, Ending Aging:
The Rejuvenation Breakthroughs that Could Reverse Human Aging in Our
Lifetime, St. Martins Griffin, 2008)를 참고하라. 이 저서에서 그는 자신의 이
론을 일반 대중도 이해할 수 있도록 설명하고 있다. 이에 대해 한 무리의 동
료 노화학자들이 다음 보고서를 통해 대단히 비판적인 반응을 내놓았다.
Huber Warner, et al., 'Science Fact and the SENS Agenda', EMBO Reports
2005(6): 1006–1008, http://embor.embopress.org/content/6/11/1006.

심히 찾아본다면 아마도 다소간의 의견불일치를 발견할 수 있을 것이다.

이보다 더 문제가 되는 경우가 있다. 어떤 주제에 대해서는 자격이 있는 권위자들 사이에 사실상 의견불일치가 전혀 존재하지 않는데도 겉으로 보아 논쟁이 이루어지는 듯한 분위기가 형성될 수 있다.

예를 들어 지구적 기후변화와 관련해 과거에 전문가들 사이에 의견불일치가 있었지만 지금은 기후가 변화하고 있으며 인간의 활동이 그런 현상과 뭔가 관계가 있다는 데 대해 전 세계의 과학계가 거의 의견일치를 보이고 있다. 물론 일부 언론이나 선거운동에서 여전히 의견불일치가 부각되지만 기후에 관한 자료를 가능한 한 객관적으로 보려고 하는 훈련된 기후과학자들 사이에는 의견불일치가 거의 없다.

기후변화에 관한 컨센서스에 대한 합리적인 비판이 약간은 있지만 이 분야의 사실상 거의 모든 사람들이 내리는 최선의 판단을 보면 그들은 최종 결론을 바꾸지 않고 있다. 비판자들 가운데 일부는 기후과학을 더욱 예리한 것이 되도록 해주기도 하지만, 이제 비판자들은 권위자의 자격이 있더라도 외톨이, 그것도 아주 두드러진 외톨이가 되고 있다.

이런 문제에 대한 논의에서는 실제의 증거나 전문적인 판단이 아니라 이념이 원동력이 되는 것으로 보인다. 겉으로 보기에 논쟁으로 비치는 것을 얼마나 진지하게 실제의 논쟁으로 받

아들여야 하는가를 알기 위해서는 그 속까지 깊이 들여다볼 필요가 있을 것이다.♠

<hr />

♠ 기후과학의 최근 상태를 개괄하고 일부 회의적인 주장들도 다룬 글로서 가장 먼저 읽어볼 만한 것은 G. 토머스 파머가 쓴 얇은 교과서 《현대의 기후변화 과학》(G. Thomas Farmer, Modern Climate Change Science, Springer, 2015)이다. 다시 말하지만 전문가들 사이의 컨센서스도 틀린 것일 수 있다. 그럼에도 전문가들의 합의는 일반적으로 우리가 달성할 수 있는 최선의 것이다. 기후변화를 '부정'하는 사람들도 예를 들어 자기가 심각한 병에 걸렸을지도 모른다는 사실을 알게 된다면 의사들 사이에 일치되는 조언을 받아들이기를 거부하려고 하지 않을 것이다. 말하자면 그런 사람들도 모든 의사가 다 틀렸기를 아무리 열심히 원한다고 하더라도 자신의 생명을 걸면서까지 그렇게 믿고 행동하려고 하지는 않을 것이다. 그런데 그런 사람들이 우리로 하여금 지구 그 자체의 미래를 걸고 기후 전문가들 사이의 컨센서스가 틀렸다고 믿고 행동하도록 하려는 것인가? 일부 정치인들이 기후 관련 연구기관들이 문을 닫게 하고, 심지어는 과학자들이 대중과 소통하지 못하게 하며, 정부를 비롯한 공공기관들이 기후변화 적응 계획을 수립하지 못하게 하려고 애쓰고 있는 것은 훨씬 더 유감스러운 일이다. 그들은 건설적이면서 증거에 토대를 둔 회의주의를 드러내고 있는 것이 아니라 오히려 그런 것과 정반대되는 입장을 드러내고 있는 것 같다. 부정도 책임성 있게 하려면 증거를 필요로 한다!

인터넷은 요령 있게 이용해야 한다

온라인에서는 가장 근거가 없거나 증오로 가득한 자기주장 사이트조차도 스스로 그럴듯하게 보이게끔, 심지어는 전문적으로까지 보이게끔 분장할 수 있다. 학술서적 출판사와 대부분의 공공도서관은 적어도 펴내거나 수집하는 책이나 기타 자료의 신뢰도와 논조를 통제하는 장치를 두고 있다. 그러나 인터넷은 여전히 개척되기 전의 미국 서부지역과 같아서 거기에 아무런 통제장치가 없다. 그래서 온라인에서는 무엇이든 각자가 스스로 알아서 해야 한다.

'인터넷' 자체는 어떠한 경우에도 그 어떤 종류의 권위자도 아니다. 그것은 단지 다른 정보원천의 정보를 전달할 뿐이다. 요령 있는 이용자들은 그러한 정보원천을 어떻게 평가해야 하는지를 안다. 그들은 이 책에서 제시된 규칙들을 적용한다. 예를 들어 규칙 13을 적용해서 정보원천이 무엇인지를 확인하고 밝힌다. 정보원천을 알아내기가 어려운 웹사이트도 많다. 그런 웹사이트는 경계해야 한다. 이와 관련해 이런 확인을 해봐야 한다. 웹사이트의 정보원천이 스스로 다루고 있는 정보에 정통한가(규칙 14)? 그리고 공정하여 신뢰할 만한가(규칙 15)? 그런가 하면 자기네 주의나 주장을 퍼뜨리기 위해 당신에게 어떤 생각을 주입하거나 어떤 쟁점에 대한 당신의 견해를 조작하려고 하는 웹사이트들도 있다. 이런 웹사이트를 가려내기 위해 이런 확인을 해봐야 한다. 뼈가 들어있는 말을 사용하지 않는가(규칙 5)? 대표성 없는 자료를 사용하지 않는가(규칙 8)? 외톨이나 사이비 '전문가'가 인용되지 않는가(규칙 14와 규칙 16)? 적어도 같은 쟁점을 다루고 있는 다른 독립적인 웹사이트들과 대조점검해보라(규칙 16).

요령 있는 이용자들은 또한 표준적인 웹 검색보다 더 깊이 파고 들어간다. 검색엔진은 '모든 것을 다' 검색하지 못한다. 검색엔진은 그런 완벽한 기능과는 거리가 멀다. 사실 그 어떤 특정한 주제에 대해서든 가장 신뢰할 만하고 자세한 정보는 표준적인 검색엔진은 결코 들어갈 수 없는 데이터베이스나 그 밖의 학술정보 제공처에서 찾아지는 경우가 많다. 그런 웹사이트에 들어가려면 패스워드가 필요할 수도 있다. 패스워드가 필요하면 당신의 학교 선생님이나 도서관 사서에게 문의해보라.

요령 있는 이용자들은 위키백과(Wikipedia)를 보기도 한다 (물론 조심스럽게 본다!). '위키백과는 누구든지 편집할 수 있다' 는 것은 틀림없는 사실이다. 위키백과의 이러한 방침에 대해 반대하는 목소리가 종종 나오기도 하고, 이러한 방침의 결과로 거짓된 정보나 중상모략을 하는 정보가 때로는 게시되기도 한다. 미묘한 편향성이 오래도록 시정되지 않고 지속되는 경우도 분명히 있다. 그럼에도 불구하고 개방성 그 자체가 위키백과의 장점이라고 볼 수도 있다. 모든 글이 다른 이용자들에 의해 끊임없이 감시되고 교정된다. 수많은 이용자들이 정보를 추가하기도 하고 내용이나 표현을 개선하기도 한다. 시간이 흐르면서 많은 글들이 점점 더 포괄적이면서 중립적으로 변해가는 경향이 있다. 논쟁이 너무 가열되는 경우에는 위키백과의 편집자들이 개입하기도 한다. 뜨거운 쟁점에 관한 글 가운데 일부에 대해서는 일반 이용자들에 의한 편집 기능이 차단된다. 그러나 이런 모든 조치의 최종 결과로 위키백과는 《브리태니커 백과사전(Encyclopedia Britannica)》보다도 오류비율(규칙 9(배경비율이 결정적일 수 있다)를 상기하라!)이 낮다.♠

물론 요령 있는 백과사전 이용자는 위키백과를 인용하기만 하는 것으로는(대체로 보아 다른 어떤 백과사전이든 그것을 인용하기만 하는 것으로도 그렇지만) 자신의 주장을 제대로 뒷받침할 수 없다는 사실을 안다. 위키백과가 지향하는 바는 각각의 주

....
♠ 과학 전문지 〈네이처(Nature)〉에 실린 다음 글을 보라. Jim Giles, 'Internet Encyclopedias Go Head to Head', Nature 438(7070): 900 – 1, December 2005. 〈네이처〉 2006년 3월호에는 이에 대한 《브리태니커 백과사전》 쪽의 반응과 〈네이처〉 쪽의 응답이 실렸다.

제에 관한 지식을 한데 모아 체계화하고 개괄적으로 요약하는데, 그리고 그러면서 진정한 정보원천을 독자들에게 알려주는데 있다. 위키백과를 요령 있게 이용하는 사람들은 다른 어떤 정보원천을 이용하는 경우에도 마찬가지이지만 뼈가 들어있는 말의 미묘한 암시, 자기네가 싫어하는 견해에 대한 부정적인 설명 등을 경계하는 태도를 늘 유지한다.

참고용 정보원천은 모두 다 나름의 한계와 편향을 갖고 있는 특정한 사람들의 집단이 만들어내는 것인데, 그들이 자신들의 그러한 한계와 편향을 인정하는 경우도 있고 그러지 않는 경우도 있다. 오류와 편견을 피하는 것과 적어도 같은 정도로 중요한 것이 바로 그 오류와 편견을 교정하는, 그것도 신속하게 교정하는 수단을 갖는 것이다. 그런데 위키백과는 이런 측면에서 타의 추종을 불허한다. 마구잡이식 문구 삽입이나 고의적인 문서 훼손과 왜곡이 발생하면 대개는 불과 몇 분 안에 시정이 이루어진다. 또한 게시된 문서에 일어난 모든 변화가 추적되고 설명되며(어느 페이지에서든 '역사 보기(View History)' 탭을 누르고 살펴보라), 때로는 문서 수정에 관한 토론이 이루어지기도 한다('토론(Talk)' 탭을 누르고 살펴보라). 다른 어떤 참고용 정보원천이 이런 정도로 투명하고 저절로 교정되겠는가? 정말로 요령 있는 이용자라면 위키백과를 더욱 훌륭한 것으로 만들어가는 일에 동참할 수도 있다!

5장

원인에 대한 논증

교실의 맨 앞자리에 앉는 학생들이 더 좋은 성적을 얻는 경향이 있다는 사실을 아는가? 그리고 결혼한 사람들이 결혼하지 않은 사람들보다 평균적으로 더 행복하다는 사실을 아는가? 반면에 부는 행복과 상관관계가 전혀 없는 것으로 보인다. 그러므로 결국은 '인생에서 가장 좋은 것들은 공짜'라는 말이 어쩌면 참인지도 모르겠다. 만약에 당신이 그렇거나 말거나 부자가 되고 싶어 하는 사람이라면 '나는 뭐든지 해낼 수 있다'는 태도로 살아가는 사람들이 더 부유해지는 경향이 있다는 사실을 알게 되면 흥미로워할지도 모르겠다. 그렇다면 당신 자신의 태도부터 가다듬는 것이 좋지 않을까?

여기에서 우리는 원인과 결과에 대한 논증을 만나게 된다. 그것은 무엇이 원인이 되어 무엇이 결과로 나타나는가에 대한 논증이다. 이러한 논증이 중요한 경우가 많다. 우리는 좋은 결과는 더 증가시키기를 원하고, 나쁜 결과는 예방하고 싶어 한다. 그리고 우리는 그 두 가지 결과에 대해 각각 잘된 일이라거나 잘못된 일이라거나 하는 평가를 적절하게 하고 싶어 한다. 그런데 원인에 대한 추리도 신중한 태도와 비판적 사고를 요구한다. 이제는 이런 말을 했다고 당신이 놀라지는 않으리라 믿는다.

인과논증은 상관관계에서 시작한다

원인에 대한 주장을 뒷받침하는 증거는 대체로 두 개의 사건 사이에, 또는 두 종류의 사건 사이에 존재하는 상관관계, 즉 규칙적인 연관성이다. 예를 들어 당신의 학교 점수와 교실에서 당신이 앉는 자리 사이에, 결혼과 행복 사이에, 실업률과 범죄율 사이에 그러한 상관관계가 존재할 수 있다. 따라서 원인에 대한 논증의 일반적인 형식은 다음과 같다.

E_1이라는 사건이나 조건은 E_2라는 사건이나 조건과 규칙적으로 연관된다.
따라서 E_1이라는 사건이나 조건은 E_2라는 사건이나 조건의 원인이다.

다시 말해 위와 같은 식으로 E_1이 E_2와 규칙적으로 연관되기 때문에 우리는 E_1이 E_2의 원인이라는 결론을 내리는 것이다. 예를 들어보자.

명상을 하는 사람들은 차분해지는 경향이 있다.

따라서 명상은 당신을 차분해지게 한다.

추세들끼리도 상관관계를 가질 수 있다. 텔레비전 방송에서 폭력이 증가하는 것이 실제 세계에서 폭력이 증가하는 것과 상관관계를 갖는다는 데 주목해보면 이것을 알 수 있다.

텔레비전 프로그램은 폭력, 무자비, 타락을 점점 더 많이 묘사하며, 사회는 점점 더 폭력적이고 무자비하고 타락한 곳이 되어간다.
따라서 텔레비전은 우리의 도덕을 망치고 있다.

역상관관계(즉 어느 한 요인의 증가가 다른 한 요인의 감소와 상관관계를 갖는 경우)도 인과관계를 시사하는 것일 수 있다. 예를 들어 어떤 연구들은 비타민제 복용의 증가와 건강의 악화 사이에 상관관계를 수립함으로써 비타민제 복용이 때로는 건강에 해로울 수 있음을 시사한다. 이와 비슷하게 비상관관계는 그 안에 원인이 없음을 의미할 수 있다. 예를 들어 행복과 부는 상관관계를 갖고 있지 않음을 밝혀내고 이를 근거로 돈이 행복을 가져다주는 것은 아니라는 결론을 내리는 경우에 그렇다.

상관관계를 탐색하는 것은 과학적 연구의 전략 가운데 하나이기도 하다. 번개의 원인은 무엇일까? 왜 어떤 사람들은 불면증 환자가 되고, 어떤 사람들은 천재이고, 어떤 사람들은 공화당 지지자가 될까? 이런 질문도 던져볼 수 있다. 감기를 예방하는 어떤 방법이 있지 않을까(부디 그런 방법이 있기를 나는 바란다)? 연구자는 자신이 관심을 갖게 된 이와 같은 조건과 상관관계가 있는 다른 조건을 찾는다. 다시 말해 번개나 천재나 감기와 규칙적으로 연관되는 동시에 그것이 없으면 번개나 천재나 감기가 생겨나는 경향이 없게 되는 다른 조건이나 사건을 찾는 것이다. 이런 상관관계를 갖는 다른 조건이나 사건은 쉽게 포착하기 어렵거나 복잡한 것일 수도 있지만, 그런 것을 찾아내는 것이 가능한 경우가 적지 않다. 그리고 그런 것을 찾아내면 우리는 원인에 대한 통제력을 갖게 되기를 기대할 수 있다.

상관관계는 여러 가지로 설명될 수 있다

상관관계로부터 원인으로 나아가는 논증은 때로는 강한 설득력을 갖는다. 그러면서도 그러한 주장은 그 내용이 무엇이든 상관관계의 구조상 고유한 난점을 안고 있게 된다. 한마디로 말해 그 어떤 상관관계도 여러 가지로 설명될 수 있다는 데 문제가 있다. 어떻게 해야 밑바탕에 깔려 있는 원인을 가장 잘 해석해낼 수 있는가는 상관관계 그 자체만 봐서는 분명하지 않은 경우가 많다.

첫째로, 어떤 상관관계는 단지 우연한 동시발생일 수 있다. 예를 들어 2012년에 미국의 워싱턴 주와 콜로라도 주가 마리화나를 합법화했는데, 2013년 시즌에 두 주를 연고지로 하는 프로 미식축구팀 시애틀 시호크스와 덴버 브롱코스가 각각 내셔널 풋볼 콘퍼런스와 아메리칸 풋볼 콘퍼런스에서 우승하고 2014년 슈퍼볼에 진출해 전미 결승전을 치렀다. 그러나 마리화나의 합법화와 해당 지역 미식축구팀의 슈퍼볼 진출이라는 두 가지 사건 사이에 실제로 연관성이 있었을 것 같지는 않다.

둘째로, 연관성이 실제로 존재하는 경우에도 상관관계 그 자체가 연관성의 방향을 설정하지는 않는다. E_1이 E_2와 상관관계를 갖고 있다면 E_1이 E_2의 원인일 수도 있지만 반대로 E_2가 E_1의 원인일 수도 있다. 예를 들어 '나는 뭐든지 해낼 수 있다'는 태도를 갖고 있는 사람들이 더 부유해지는 경향이 있는 것이 사실(평균적으로)이라고 하더라도 부자가 되는 것이 그러한 태도 때문인지는 전혀 분명하지 않다. 오히려 그 반대, 즉 부유해진 것이 그러한 태도의 원인이라고 하는 말이 더 그럴듯하게 들릴 것이 분명하다. 당신이 이미 성공한 사람이라면 성공할 가능성을 더 쉽게 믿을 것이다. 부유함과 태도 사이에 상관관계가 있을 수도 있지만, 당신이 더 부유해지고 싶다고 할 경우에 당신 자신의 태도를 가다듬는 것만으로는 부유해지는 길로 그리 많이 나아가지 못할 것 같다.

이와 마찬가지로 사람들이 명상을 하기 때문에 차분해지기보다는 이미 차분한 사람들이 명상에 끌리는 경향을 보일 가능성이 얼마든지 있다. 그리고 텔레비전이 우리의 도덕을 망치고 있음을 시사하는 상관관계가 거꾸로 우리의 도덕이 텔레비전을 망치고 있음을 시사하는 것(다시 말해 실제 세계에서 폭력이 증가하는 것이 텔레비전에서 폭력 묘사가 증가하는 결과를 가져옴을 시사하는 것)일 수 있다.

셋째로, 어떤 다른 원인이 밑바탕에 깔려 있어 그것이 상관관계에 있는 양쪽 모두를 설명해줄 수도 있다. 다시 말해 E_1과

E_2가 상관관계를 갖고 있다고 할 때 E_1이 E_2의 원인이거나 E_2가 E_1의 원인이기보다는 뭔가 다른 것(E_3로 부를 수 있는 어떤 것)이 E_1과 E_2 둘 다의 원인일 수도 있다는 것이다. 예를 들어 교실에서 맨 앞자리에 앉는 학생들이 더 나은 성적을 얻는다는 사실은 맨 앞줄에 앉으면 더 나은 성적을 얻게 된다거나 더 나은 성적을 얻으면 맨 앞자리에 앉게 된다는 것을 함축하는 게 아닐 수 있다. 이보다 더 사실과 부합할 가능성이 높은 설명은 자신이 학교에서 받는 교육을 최대로 활용하겠다는 남다른 결심을 한 학생들이 있는데 이런 학생들이 교실에서 맨 앞줄에 앉기도 하고 더 나은 성적을 얻기도 한다는 것이다.

마지막으로, 복수의 원인들 또는 복잡한 원인들이 작용하고 있을 수도 있고, 그런 원인들이 동시에 여러 방향으로 움직일 수도 있다. 예를 들어 텔레비전의 폭력 묘사는 물론 사회에서 폭력이 증가하는 상황을 반영하는 것이 틀림없지만, 이와 동시에 어느 정도는 텔레비전의 폭력 묘사가 사회에서 폭력이 증가하는 상황을 더욱 악화시키는 것도 틀림없다. 물론 이와 다른 원인이 밑바탕에 깔려 있을 가능성도 얼마든지 있다. 전통적인 가치체계의 붕괴나 여가시간을 건설적으로 보내는 수단의 결여와 같은 것이 그러한 원인일 수 있다.

가장 개연성 높은 설명을 찾아라

하나의 상관관계에 대해 보통은 여러 가지 설명이 가능하므로 상관관계에 토대를 둔 논증을 질하려면 가장 개연성 높은 설명을 찾아내는 것이 과제가 된다.

먼저, 연결고리를 끼워 넣어라. 다시 말해 각각의 가능한 설명이 왜 이치에 맞는지를 서술하라.

잘못된 예

독립적인 영화제작자들은 일반적으로 대규모 영화회사에 비해 더 창의적인 영화를 만들어낸다. 따라서 그들의 독립성이 그들의 창의성으로 이어진다.

일종의 상관관계가 있다는 것은 인정할 수 있지만, 그렇게 바로 인과적 결론을 내리는 것은 다소 뜬금없다. 어떤 연결고리가 있을까?

잘된 예

독립적인 영화제작자들은 일반적으로 대규모 영화회사에 비해 더 창의적인 영화를 만들어낸다. 그들은 영화회사의 통제를 덜 받기 때문에 보다 다양한 관객을 위해 보다 자유롭게 새로운 것을 시도한다. 또한 그들은 대체로 자금부담을 훨씬 적게 안으면서 영화제작 작업을 하며, 그렇기에 창의적인 실험의 완전한 실패도 감당하기가 쉽다. 따라서 그들의 독립성은 그들의 창의성으로 이어진다.

다음으로, 당신이 선호하는 설명에 대해서만이 아니라 대안의 설명들에 대해서도 이런 식으로 연결고리를 끼워 넣어라. 비타민제 복용의 증가와 건강의 악화를 연관시키는 연구를 예로 들어보자. 한 가지 가능한 설명은 비타민제 복용이 실제로 건강을 악화시키거나 어쨌든 적어도 일부 비타민제 제품은(또는 비타민제를 많이 복용하는 것은) 어떤 사람들의 건강에는 나쁘다는 것이다. 그러나 이미 건강이 나쁘거나 나빠지고 있는 사람들이 건강을 회복하려고 비타민제를 더 많이 복용하는 것일 수도 있다. 사실 바로 이 대안의 설명이 적어도 첫눈에는 앞의 설명과 비교해 개연성이 같은 정도이거나 심지어는 더 높아 보인다.

마지막으로, 상관관계에 대해 가장 개연성이 높은 설명이 어느 것인지를 판단해보라. 그러기 위해서 더 많은 정보가 필요할 수도 있다. 예컨대 비타민제(또는 일부 비타민제)가 때로는 건강에 해로울 수 있음을 보여주는 뭔가 다른 증거가 있을까? 만약 그렇다면 비타민제가 건강에 해를 끼치는 일이 얼마나 폭넓게 일어나고 있을까? 비타민제가 건강에 해로움을 보여주는 직접적이고 구체적인 증거가 거의 없다면, 특히 비타민제가 적절한 양으로 복용되는 경우에 그러하다면 비타민제를 더 많이 복용하는 것이 건강을 악화시킨다는 설명보다는 건강이 악화되는 것이 비타민제를 더 많이 복용하게 만든다는 설명이 더 개연성이 높다.

이번에는 결혼과 행복의 예를 생각해보자. 결혼과 행복은 상관관계를 갖고 있다(평균적으로 그렇다는 말이다). 그런데 결혼이 당사자들을 더 행복하게 만들어서 그런 것인가, 아니면 더 행복한 사람들이 결혼을 하고 부부관계를 유지하는 데 더 성공적이어서 그런 것인가? 이 두 가지 설명 각각에 연결고리를 끼워 넣은 다음 한발 물러서서 생각을 해보라.

결혼을 하면 인생을 같이 살아가면서 서로 떠받쳐주거나 의지할 사람을 얻게 되는 것이 분명하다. 이 점은 왜 결혼이 당사자들을 더 행복하게 만드는가를 설명해주는 것일 수 있다. 거꾸로 행복한 사람들이 결혼을 하고 부부관계를 유지하기를 더 잘한다고 볼 수도 있다. 그러나 내 생각에는 이 두 번째 설명은 개연성이 상대적으로 더 낮은 것으로 여겨진다. 행복은 당신을 더 매력 있는 결혼상대자로 만들 수 있지만 그렇지 않을 수도 있다. 다시 말해 행복은 당신을 더 자기 자신에게 몰두하는 사람으로 만들 수도 있다. 그러므로 행복 그 자체가 당신을 배우자에게 조금이라도 더 헌신하거나 배려하게 하는지는 분명하지 않다. 나로서는 첫 번째 설명을 선택하겠다.

어떤 음모나 초자연적인 간섭이 가장 개연성이 높은 설명이 되는 경우는 매우 드물다는 점에 주목하라. 버뮤다 삼각수역에 정말로 유령이 출몰하고 이것이 바로 거기에서 배나 비행기가 사라지는 원인이라고 말하는 것도 물론 가능하다. 그러나 이러한 설명은 그것과 다른 또 하나의 간단하고도 자연스러운 설명에 비하면 개연성이 훨씬 떨어진다. 즉 버뮤다 삼각수역은 세계에서 배와 비행기가 가장 많이 지나는 곳 가운데 하나인데다 그곳의 열대성 기후가 예측하기 어렵고 종종 심각한 악천후를 빚어내는 것이 원인이라는 설명이 훨씬 개연성이 높다. 게다가 사람들은 기괴한 이야기를 들으면 거기에 뭔가를 덧붙여 윤색하는 경향이 있다. 그래서 그런 이야기 가운데 섬뜩한 정도가 심한 것은 수많은 사람들의 입을 거친 결과일 테니 (적어도) 가장 신뢰할 만한 것은 아닌 것이다.

이와 마찬가지로 사람들은 극적인 사건(예를 들어 케네디 대통령 암살이나 9.11 테러와 같은 사건)에 대한 음모론을 정당화하기 위해 그러한 사건의 모순된 요소나 기이한 요소에 매달리지만, 그러한 설명은 대체로 보통의 설명(그것이 아무리 불완전하다고 하더라도)에 비해 훨씬 더 많은 것을 설명하지 않고 그냥 놔둔다(그렇지 않다면 그럴듯한 음모론이 왜 그렇게 천편일률의 형식을 취하겠는가?). 조금이라도 기이한 점이 있다면 그런 것은 모두 어떤 사악한 내용으로 설명돼야 한다고 생각하지 말라. 기본적인 것을 올바르게 파악하는 것만 해도 매우 어려운 일이다. 당신을 포함해 그 누구도 모든 것에 대해 답변을 갖고 있어야 할 필요는 없다.

규칙 21
복잡성을 예상하라

행복한 사람들 가운데 결혼하지 않은 사람이 많은 것은 물론이고 결혼한 사람들 가운데 불행한 사람도 많다. 그렇다고 평균적으로 보아 결혼이 행복하게 사는 데 아무런 영향도 미치지 않는다는 결론이 도출되는 것은 아니다. 그것은 행복과 불행(그리고 결혼을 했느냐 하지 않았느냐)에는 다른 원인도 많음을 의미할 뿐이다. 어느 하나의 상관관계가 모든 것을 다 이야기해주지는 않는다. 그러한 경우에 관건은 다양한 원인들의 상대적 비중에 있다.

당신이나 다른 누군가가 어떤 E_1이 어떤 E_2의 원인이라고 논증했다고 하자. 이 경우에 때로는 E_1이 E_2라는 결과를 낳지 않으며 E_1과 완전히 다른 어떤 원인이 E_2라는 결과를 낳을 수 있다고 해서 그것이 반드시 반례가 되는 것은 아니다. 그러한 논증이 주장하는 바는 E_1이 흔히 또는 대개는 E_2라는 결과를 낳고 다른 원인들은 상대적으로 드물게만 그러하다는 것뿐이거나, 내용 전체를 알고 보면 복수의 원인이 있을 수도 있고 다른 중요한 기여요인이 있을 수도 있지만 E_1이 E_2라는 결과를 발생시키는 주된 요인 가운데 하나라는 것뿐이다. 담배를 전혀 피우지 않는데도 폐암에 걸리는 사람들이 있고, 하루에 담배를 세 갑이나 피우는데도 결코 폐암에 걸리지 않는 사람들도 있다. 두 가지 결과가 다 의학적으로 흥미롭고 중요한 현상이지만, 어쨌든 담배를 피우는 것이 폐암의 주된 원인이라는 사실은 그대로 남는다.

다수의 상이한 원인들이 어떤 하나의 전반적인 결과가 초래되도록 작용할 수 있다. 예를 들어 지구적 기후변화의 원인은 다양한데 그 가운데 태양의 밝기에 일어나는 변화와 같은 자연적인 원인이 일부 있다고 해서 인간의 작용이 아무런 영향도 미치지 않음이 증명되는 것은 아니다. 다시 말하지만 인과관계는 이야기가 복잡하다. 거기에는 많은 요인들이 작용한다(사실 태양도 지구온난화를 촉진하는 작용을 하고 있다고 한다면 우리가 지구온난화를 촉진하는 작용의 정도를 줄이려고 노력해야 할 이유가 훨씬 더 커진다).

원인과 결과가 '순환고리'를 형성할 수도 있다. 영화제작자들의 독립성이 그들의 창의성으로 이어지기도 하지만, 다시 보면 창의적인 영화제작자들이 애초부터 독립성을 추구하는 것이 더 많은 창의성으로 이어지기도 하고, 이런 과정이 거듭되기도 한다. 영화제작자들 가운데 압박을 덜 받는 삶을 선호하기 때문에, 또는 어떤 괜찮은 아이디어를 갖게 됐지만 그것을 대규모 영화회사에 팔 도리가 없기 때문에 창의성과 독립성 둘 다를 추구하게 된 경우도 있을 수 있다. 인과관계는 복잡할 수 있다.

6장

연역논증

다음 논증을 살펴보자.

> 체스에 어떠한 우연적인 요인도 없다면 체스는 순전히 기술에 좌우되
> 는 게임이다.
> 체스에는 어떠한 우연적인 요인도 없다.
> 따라서 체스는 순전히 기술에 좌우되는 게임이다.

이 논증의 전제들이 참이라고 가정하자. 다시 말해 만일 체스에 어떠한 우연적인 요인도 없다면 체스는 순진히 기술에 좌우되는 게임이라는 것이 참이라고 가정해보자. 또한 체스에는 어떠한 우연적인 요인도 없는 게 사실이라고 가정하자. 그러면 당신은 완전한 확신을 갖고 체스는 순전히 기술에 좌우되는 게임이라는 결론을 내릴 수 있다. 여기에서 전제들을 참이라고 인정하면 어떤 식으로도 결론을 부정할 수 없다.

이러한 유형의 논증을 연역논증(deductive argument)이라고

한다. 즉 적절하게 구성된 연역논증은 전제들이 참이라면 결론 또한 참일 수밖에 없다는 형식의 논증이다. 적절하게 구성된 연역논증은 타당한 논증이다.

연역논증은 지금까지 검토해온 다른 여러 종류의 논증과 다르다. 지금까지 검토해온 여러 논증에서는 참인 전제들이 아무리 많더라도, 그리고 그 참인 전제들이 결론을 아주 그럴듯하게 보이게 하더라도 그 전제들이 결론의 참을 보증하지는 못한다. 연역논증이 아닌 논증에서는 결론이 전제들을 넘어서는 것이 불가피하다. 예시에 의한 논증과 권위에 근거한 논증 등은 바로 이런 특징을 갖는다. 반면에 타당한 연역논증의 결론은 이미 전제들에 들어 있었던 것만을 명시적으로 드러낸다. 그리고 그것은 연역논증의 결론으로 진술되기 전에는 분명하지 않았던 것일 수도 있다.

삶의 현실에서는 물론 우리 자신의 전제들이 항상 옳다고 확신할 수 없다. 따라서 현실의 연역논증이 제시하는 결론은 약간 에누리해서, 때로는 상당히 에누리해서 받아들여야 한다. 그렇지만 강력한 전제들만 찾아낼 수 있다면 연역의 형식은 대단히 유용하다. 심지어 전제들이 확실하지 않은 경우에도 연역의 형식은 논증을 구성하는 데 효과적인 방법이 된다.

전건을 긍정하는 형식

무언가를 진술하는 두 개의 문장을 각각 영문자 p(전건(前件))
와 q(후건(後件))로 표시해서 타당한 연역논증의 형식을 가장
간단하게 쓰면 다음과 같이 된다.

[문장 p]라면 [문장 q]다.

[문장 p]다.

따라서 [문장 q]다.

더 간단하게 쓰면 다음과 같다.

p라면 q다.

p다.

따라서 q다.

이것은 전건을 긍정하는 형식(modus ponens), 즉 설정하는

형식이다. 'p라고 설정하면 q라는 결론을 얻는다'는 의미다. '체스에는 어떠한 우연적인 요인도 없다'를 p로, '체스는 순전히 기술에 좌우되는 게임이다'를 q로 표시하고 보면 앞에서 소개한 체스에 관한 논증은 전건을 긍정하는 형식을 따르고 있다(확인해보라). 또 하나의 예를 들어보자.

운전 중에 휴대폰을 사용하는 사람들이 사고를 더 많이 낸다면 운전 중의 휴대폰 사용을 금지해야 한다.
운전 중에 휴대폰을 사용하는 사람들은 실제로 사고를 더 많이 낸다.
따라서 운전 중의 휴대폰 사용을 금지해야 한다.

이 논증을 더 발전시키려면 그 두 개의 전제를 다 설명하고 옹호해야 한다. 그런데 그 두 개의 전제는 아주 다른 논증을 필요로 한다(다시 들여다보고 생각해보라). 전건을 긍정하는 형식은 이처럼 논증을 필요로 하는 전제들을 처음부터 분명하게 분리해 설정하는 데 도움이 된다.

후건을 부정하는 형식

타당한 연역논증의 둘째 형식은 후건을 부정하는 형식(modus tollens), 즉 제거하는 형식이다. 'q를 제거하면 p도 제거된다' 는 의미다.

> p라면 q다.
>
> q가 아니다.
>
> 따라서 p가 아니다.

여기서 'q가 아니다'는 q에 대한 부정, 즉 'q는 참이 아니다' 라는 뜻이다. 'p가 아니다'도 마찬가지로 'p는 참이 아니다'라 는 뜻이다.

탐정놀이를 해보겠는가? 셜록 홈스는 《경주마 실버 블레이 즈 실종 사건》의 중요한 대목에서 후건을 부정하는 형식의 논 증을 사용한다. 경비가 잘 돼있는 마구간에서 누군가가 말을 훔쳐갔다. 마구간에는 개도 한 마리 있었지만 그 개는 짖지 않왔다. 이로부터 우리는 어떤 추리를 할 수 있을까?

> 개 한 마리가 마구간에 있었는데 누군가가 들어와서 말을 끌고 가는 동안 그 개는 전혀 짖지 않았다. 분명히 그 방문자는 그 개가 잘 알고 있는 사람이었다.♠

홈스의 논증은 후건을 부정하는 형식으로 아래와 같이 다시 쓸 수 있다.

> 방문자가 낯선 사람이었다면 그 개는 짖었을 것이다.
> 그 개는 짖지 않았다.
> 따라서 방문자는 낯선 사람이 아니었다.

'방문자는 낯선 사람이었다'를 s로, '그 개는 짖었다'를 b로 기호화해 홈스의 연역을 다시 써보자.

> s라면 b다.
> b가 아니다.
> 따라서 s가 아니다.

....
♠ Sir Arthur Conan Doyle, The Adventure of Silver Blaze, in The Complete Sherlock Holmes (Garden City, NY: Garden City Books, 1930), p. 199.

'b가 아니다'는 '그 개는 짖지 않았다'를 나타내고, 's가 아니다'는 '방문자는 낯선 사람이 아니었다'를 나타낸다. 홈스가 내린 결론대로 방문자는 그 개가 잘 아는 사람이었다. 범인은 내부자였던 것이다!

규칙 24
가언 삼단논법

타당한 연역논증의 셋째 형식은 가언(假言) 삼단논법(hypothetical syllogism)이다.

> p라면 q다.
> q라면 r다.
> 따라서 p라면 r다.

예를 들어 규칙 6(쓰는 말이 일관돼야 한다)에서 제시됐던 아래와 같은 논증을 상기해보라.

애완용 동물을 보살피는 법을 배울 때 당신은 자신이 기르는 동물이 필요해서 요구하는 것이 무엇인지에 주의하고 그에 응해주기를 배운다. 자신이 기르는 동물이 필요해서 요구하는 것이 무엇인지에 주의하고 그에 응해주기를 배울 때 당신은 더 나은 부모가 되는 법을 배운다. 그러므로 애완용 동물을 보살피는 법을 배울 때 당신은 더 나은 부모가 되는 법을 배운다.

두 개의 전제를 분리하고 표현을 약간 고쳐서 '~라면 ~이다'라는 형식으로 정돈하면 다음과 같이 된다.

애완용 동물을 보살피는 법을 배우면 당신은 자신이 기르는 동물이 필요해서 요구하는 것이 무엇인지에 주의하고 그에 응해주기를 배우게 된다.

자신이 기르는 동물이 필요해서 요구하는 것이 무엇인지에 주의하고 그에 응해주기를 배우면 당신은 더 나은 부모가 되는 법을 배우게 된다.

따라서 애완용 동물을 보살피는 법을 배우면 당신은 더 나은 부모가 되는 법을 배우게 된다.

여기에서 전제를 구성하는 두 개의 문장을 영문자로 기호화해 쓰면 다음과 같이 된다.

c라면 a다.
a라면 p다.
따라서 c라면 p다.

용어와 어구를 일관되게 사용하는 것이 왜 그렇게 크게 도움이 된다고 한 것인지를 확인해보라.

모든 전제가 'p라면 q다'라는 형식을 취하고 각각의 전제 속 q(후건)가 그 다음 전제 속 p(전건)가 되는 한 아무리 많은 수의 전제를 댄다고 해도 가언 삼단논법은 타당하다.

선언 삼단논법

타당한 연역논증의 넷째 형식은 선언(選言) 삼단논법(disjunctive syllogism)이다.

p이거나 q다.
p가 아니다.
따라서 q다.

탐정놀이를 계속해보사.

도라벨라와 피오르딜리지 둘 중 하나가 타르트를 훔쳐갔다. 그런데 도라벨라는 훔쳐가지 않았다. 이것이 무슨 뜻인지는 매우 분명하다.

'도라벨라가 타르트를 훔쳐갔다'를 나타내는 데 d를 사용하고 '피오르딜리지가 타르트를 훔쳐갔다'를 나타내는 데 f를 사용하면 다음과 같이 된다.

d이거나 f다.

d가 아니다.

따라서 f다.

여기에는 복잡한 문제가 하나 있다. '~이거나(or)'는 두 가지 상이한 의미를 가질 수 있다. 보통 'p이거나 q다'는 p와 q 가운데 적어도 어느 하나가 참이거나 둘 다 참일 수 있음을 의미한다. 이것은 '~이거나'라는 말의 '포괄적' 의미라고 불린다. 논리학에서는 '~이거나'가 보통 이 의미로 사용된다. 그러나 때로 우리는 '~이거나'를 '배타적' 의미로 쓰기도 한다. 즉 'p이거나 q다'는 p와 q 가운데 어느 하나는 참이지만 둘 다 참은 아니라는 의미일 수 있다. 예를 들어 '그들은 육로로 오거나 해로로 올 것이다'라는 말은 그들이 동시에 육로와 해로로 오지는 않을 것임을 시사한다. 이 경우에는 그들이 어느 한 길로 온다면 다른 길로는 오지 않는다고 추론할 수 있다(이 경우가 확실해서 더 좋다!).

선언 삼단논법은 '~이거나'가 어떤 의미로 쓰이는지에 상관없이 타당하다(확인해보라). 그러나 'p이거나 q다'라는 형식을 가진 하나의 진술에서 선언 삼단논법의 결론이 아닌 어떤 다른 결론이 도출될 수도 있다. 이런 경우에 당신의 추론은 당신이 검토하고 있는 구체적인 'p이거나 q다'라는 전제에서 '~이거나'가 어떤 의미로 사용됐는지에 의존할 것이다. 특히 당신이 p임을 알고 있을 때 'q가 아니다'라는 결론을 내릴 수 있는지의 여부를 가릴 때 그렇다. 예를 들어 도라벨라가 타르트를 훔쳐갔다는 사실만을 우리가 알고 있다고 가정하자. 이 경우에 우리는 피오르딜리지가 도라벨라의 그런 행위를 돕지 않았다고 장담할 수 있을까? 이 점을 주의하라!

딜레마

타당한 연역논증의 다섯째 형식은 '딜레마'다.

p이거나 q다.

p라면 r다.

q라면 s다.

따라서 r거나 s다.

수사학에서 딜레마는 두 가지 선택지 모두가 마음에 들지 않는데도 두 가지 선택지 가운데 어느 하나를 선택해야만 하는 상황을 말한다. 예를 들어 비관주의 철학자인 아르투르 쇼펜하우어는 흔히 '고슴도치의 딜레마'로 불리는 것을 정식화했다. 그것은 다음과 같이 써볼 수 있다.

두 마리의 고슴도치는 서로 가까워질수록 각각 자신의 바늘털로 상대방을 찌르게 될 가능성이 높아진다. 그러나 서로 멀리 떨어져 있으면 둘 다 외로워질 것이다. 사람의 경우도 마찬가지다. 누군가와 가까워지는 것은 불가피하게 갈등을 불러일으키고 감정을 상하게 하며 많은 고통을 우리에게 안겨줄 수 있다. 반면에 서로 멀리 떨어져 있으면 우리는 외로워진다.

이 논증을 개략적으로 정리하면 다음과 같이 된다.

우리는 다른 사람들과 가까워지거나(c) 서로 멀리 떨어져 있다(a).
다른 사람들과 가까워지면(c) 우리는 갈등과 고통을 겪는다(s).
서로 멀리 떨어져 있으면(a) 우리는 외로워진다(l).
따라서 우리는 갈등과 고통을 겪거나(s) 외로워진다(l).

이것을 기호화하면 다음과 같다.

c이거나 a다.
c라면 s다.
a라면 l이다.
따라서 s이거나 l이다.

딜레마의 형식으로 논증을 더 진행해서 '어느 경우에든 우리는 불행할 것이다'와 같은 훨씬 더 간단한 결론을 얻을 수도 있다. 이런 추가적인 논증을 써보는 일은 당신에게 맡기겠다.

위 논증의 결론은 대단히 불만족스러운 것이므로 내가 한마디 덧붙여야겠다. 사실 고슴도치는 바늘털로 서로를 찌르지 않으면서도 얼마든지 서로에게 가까이 다가갈 수 있다. 고슴도치는 서로 가까이 모여 살면서 편안하게 지낼 수 있는 것이다. 따라서 적어도 고슴도치에 관한 한 쇼펜하우어의 두 번째 전제는 참이 아닌 것이 분명하다.

귀류법

엄격하게 말하면 후건을 부정하는 형식의 한 변형일 뿐이긴
하지만 특별히 언급해둘 만한 전통적 연역논증 전략이 하나
있다. 그것은 바로 귀류법(歸謬法)이다. 라틴어로는 '레둑티오
아드 압수르둠(reductio ad absurdum)'이라고 하는데, 이는 '불
합리로 환원(reduction to absurdity)'이라는 뜻이다. 환원에 의
한 논증(또는 '간접증명')은 반대를 가정하는 것이 불합리로, 즉
모순되거나 우스꽝스러운 결과로 귀착함을 보이는 것을 통해
논증의 결론을 확립한다. 이러한 논증은 결론을 받아들이는
것 말고는 다른 선택지가 아무것도 남지 않음을 시사한다.

증명할 명제: p다.

반대를 가정한다: p가 아니다.

이 가정에서 도출될 수밖에 없는 명제를 주장한다: q다.

이 명제가 거짓임을 보인다: q는 거짓이다(모순이거나 불합리하거나
　　도덕적, 실천적으로 받아들일 수 없다).

결론을 내린다: 결국 p가 참일 수밖에 없다.

예를 들어 호기심을 자극하는 다음과 같은 간단한 논증을 고찰해보자.

우주에서 성관계를 한 사람은 아직 아무도 없다. 그랬다고 인정한 사람이 아무도 없음은 물론이다. 그러나 단지 논증을 하기 위해, 우주에 갔던 누군가가 거기에서 성관계를 했다고 가정해보자. 그렇다면 우주에서 성관계를 한 누군가가 그러한 사실을 아무에게도 말하지 않았다는 이야기다. 그런데 이는 그야말로 믿기 어려운 이야기다. 그러한 사실을 자기만의 비밀로 유지하려고 할 사람은 아무도 없다.♠

이 논증을 귀류법의 형식으로 쓰면 다음과 같이 된다.

증명할 명제: 우주에서 성관계를 한 사람은 아직 아무도 없다.

반대를 가정한다: 누군가가 우주에서 성관계를 했다.

이 가정에서 도출될 수밖에 없는 명제를 주장한다: 우주에서 성관계를 한 누군가가 그러한 사실을 비밀로 유지했다.

....

♠ 이 논증은 데이비드 모로(David Morrow)가 다음 글의 내용을 압축해서 재정리한 것이다. Mike Wall, 'No Sex in Space Yet, Official Says', 22 April 2011, http://www.space.com/11473-astronauts-sex-space-rumors.html.

이 명제가 거짓임을 보인다: 그런데 이는 그야말로 믿기 어려운 이야기다.

결론을 내린다: 우주에서 성관계를 한 사람은 아직 아무도 없다.

이것은 타당한 논증이다. 그런데 그 결론의 주된 전제는 참일까? 당신이라면 그러한 사실을 비밀로 유지할 수 있을까?

여러 단계의 연역논증

타당한 연역논증은 규칙 22부터 규칙 27까지에서 소개된 기본적 형식들의 조합인 경우가 많다. 셜록 홈스가 왓슨 박사에게 깨달음을 주기 위해 간단한 연역논증을 해 보이는 대목을 예로 들어보자. 홈스는 그 과정에서 관찰과 연역의 상대적인 역할에 대해서도 설명한다. 홈스는 왓슨 박사가 그날 아침에 우체국에 갔으며, 거기에서 전보를 보냈다고 불쑥 말했다. "맞네!" 왓슨 박사는 놀라며 대답했다. "둘 다 맞네! 그런데 자네가 그런 결론에 어떻게 도달했는지를 나는 전혀 모르겠네." 이에 홈스는 다음과 같이 말한다.

그것은 아주 간단하네. 나는 자네 신발 등에 불그스름한 흙이 약간 묻어있는 것을 관찰할 수 있었네. 위그모어 거리에 있는 우체국 맞은편의 포장도로가 파헤쳐지고 거기에 흙이 덮여있는데, 그 흙을 밟지 않고 우체국에 들어가기란 매우 어렵지. 그 흙은 내가 아는 한 이 주변에서는 찾아보기 힘든 독특한 불그스름한 색조를 띠고 있지. 내가 관찰한 것은 여기까지이고, 나머지는 연역해낸 거야.

두 사람의 대화는 다음과 같이 이어진다.

[왓슨] 그러면 전보를 보냈다는 것은 어떻게 연역해냈는가?

[홈스] 그거야 뻔하지. 나는 아침 내내 자네의 맞은편에 앉아 있었기 때문에 자네가 편지를 쓰지 않았다는 것을 알고 있었네. 또 나는 열려 있는 자네의 책상서랍에서 많은 우표와 두꺼운 엽서뭉치를 보았지. 그렇다면 전보를 보내는 일 말고 자네가 무슨 일로 우체국에 갔겠는가? 다른 요인들을 모두 제거해 보게. 그러면 남는 것이 틀림없이 진실이라네.♠

홈스의 연역을 분명한 전제들로 구분해 늘어놓으면 다음과 같이 될 것이다.

1. 왓슨의 신발 등에 붉그스름한 흙이 약간 묻어있다.

2. 만일 왓슨의 신발 등에 붉그스름한 흙이 약간 묻어있다면 왓슨은 오늘 아침에 위그모어 거리의 우체국에 다녀왔다(왜냐하면 오직 거기에만 그런 붉그스름한 흙이 덮여있으며, 그 흙을 밟지 않고는 우체

....
♠ Sir. Arthur Conan Doyle, The Sign of Four, in The Complete Sherlock Holmes, pp. 91~92.

국에 들어가기가 어렵기 때문이다).

3. 만일 왓슨이 오늘 아침에 위그모어 거리의 우체국에 다녀왔다면 그는 편지를 보냈거나 우표나 엽서를 샀거나 전보를 보냈을 것이다.

4. 만일 왓슨이 편지를 보냈다면 그는 오늘 아침에 편지를 썼을 것이다.

5. 왓슨은 오늘 아침에 편지를 쓰지 않았다.

6. 만일 왓슨이 우표나 엽서를 샀다면 그의 책상서랍은 이미 우표나 엽서들로 가득 차 있지 않았을 것이다.

7. 왓슨의 책상서랍은 이미 우표와 엽서들로 가득 차 있었다.

8. 따라서 왓슨은 오늘 아침에 위그모어 거리의 우체국에서 전보를 보냈다.

이제 우리는 이 논증을 규칙 22부터 규칙 27까지에서 제시된 여러 가지 간단한 형식의 논증들로 분리해 볼 필요가 있다. 먼저 전건을 긍정하는 형식의 논증으로 시작하자.

2. 만일 왓슨의 신발 등에 불그스름한 흙이 약간 묻어 있다면 그는 오늘 아침에 위그모어 거리에 있는 우체국에 다녀왔다.

1. 왓슨의 신발 등에 불그스름한 흙이 약간 묻어있다.

Ⅰ. 따라서 왓슨은 오늘 아침에 위그모어 거리에 있는 우체국에 다녀왔다.

(나는 여기에서 Ⅰ, Ⅱ 등의 로마숫자는 간단한 논증의 결론을 표시

하기 위해 사용할 것이다. 그리고 그 결론은 다음 단계의 결론을 끌어 내기 위한 전제로 사용될 수 있다.)

전건을 긍정하는 형식의 논증을 또 하나 분리해내자.

3. 만일 왓슨이 위그모어 거리의 우체국에 다녀왔다면 그는 편지를 보 냈거나 우표나 엽서를 샀거나 전보를 보냈을 것이다.
Ⅰ. 왓슨은 오늘 아침에 위그모어 거리에 있는 우체국에 다녀왔다.
Ⅱ. 따라서 왓슨은 편지를 보냈거나 우표나 엽서를 샀거나 전보를 보 냈다.

여기서 제시된 세 가지 가능성 가운데 두 가지는 이제 후건 을 부정하는 방식의 논증으로 배제될 수 있다.

4. 만일 왓슨이 편지를 보내러 우체국에 갔다면 그는 오늘 아침에 편지 를 썼을 것이다.
5. 왓슨은 오늘 아침에 편지를 쓰지 않았다.
Ⅲ. 따라서 왓슨은 편지를 보내러 우체국에 갔던 것이 아니다.

6. 만일 왓슨이 우표나 엽서를 사러 우체국에 갔다면 그의 책상서랍이 이미 우표와 엽서로 가득 차 있지 않았을 것이다.
7. 왓슨의 책상서랍은 이미 우표와 엽서들로 가득 차 있었다.

Ⅳ. 따라서 왓슨은 우표나 엽서를 사러 우체국에 갔던 것이 아니다.

이제 우리는 위에서 얻은 결론들을 모아서 최종정리를 할 수 있다.

Ⅱ. 왓슨은 오늘 아침에 위그모어 거리의 우체국에서 편지를 보냈거나 우표나 엽서를 샀거나 전보를 보냈다.

Ⅲ. 왓슨은 편지를 보내러 우체국에 갔던 것이 아니다.

Ⅳ. 왓슨은 우표나 엽서를 사러 우체국에 갔던 것이 아니다.

8. 따라서 왓슨은 오늘 아침에 위그모어 거리의 우체국에서 전보를 보냈다.

마지막 추론은 확장된 선언 삼단논법이다. "다른 모든 요인들을 제거하라. 그렇게 한 뒤에 남는 것이 틀림없이 진실이다."

7장

논증의 확장

이제는 당신이 어떤 쟁점이나 문제에 대해 논증하는 글을 쓰거나 말로 프레젠테이션을 하게 됐다고 생각해보자. 그 쟁점이나 문제는 당신이 스스로 선택한 것일 수도 있고, 누군가가 당신에게 과제로 부여한 것일 수도 있다. 당신이 수업시간에 발표하기 위한 글을 쓰게 됐을 수도 있고, 공개적인 토론회에 참석해 프레젠테이션을 하게 됐을 수도 있으며, 언론사 편집자에게 투고해보려고 글을 쓰게 됐을 수도 있다. 또는 당신이 관심을 갖게 된 쟁점에 대해 생각을 정리해보고 싶었을 수도 있다.

그렇게 하기 위해서는 우리가 지금까지 살펴본 간단한 논증을 넘어설 필요가 있다. 당신은 보다 자세하게 당신의 생각을 전개해야 한다. 그러는 과정에서 주된 생각을 분명하게 표현해야 하고, 그런 다음에 그런 생각의 전제들을 제시하고 옹호해야 한다. 당신이 말하는 것이 무엇이든 그것은 증거와 근거를 필요로 하며, 증거와 근거를 얻으려면 어느 정도는 조사를 해볼 필요가 있을 수도 있다. 그리고 반대견해를 옹호하는 논증도 저울질해볼 필요가 있다. 이 모든 것은 힘든 작업이지만 바람직한 작업이기도 하다. 사실 이런 작업은 많은 사람들에게 가장 보람도 있고 하면서 즐거움도 느낄 수 있을 만한 일이다.

쟁점을 탐구하라

어떤 하나의 쟁점을 가지고 시작을 한다고 하더라도 반드시 어떤 하나의 입장을 가지고 그래야 하는 것은 아니다. 당신이 어떤 입장을 곧바로 수용하고 그런 다음에 논증으로 그 입장을 떠받치기 위해 애써야 한다고 생각하지 말라. 마찬가지로, 설령 당신이 어떤 하나의 입장을 가지고 있다고 하더라도 머리에 가장 먼저 떠오르는 논증을 서둘러 제시하려고 하지 말라. 당신은 머리에 가장 먼저 떠오르는 견해를 제시하라고 요구받고 있는 것이 아니다. 당신이 요구받고 있는 것은 충분한 정보에 입각한, 그리고 당신이 탄탄한 논증으로 옹호할 수 있는 견해에 도달하는 것이다.

다른 행성에도 생명체가 있을 수 있을까? 일부 천문학자들이 제시하는 생각의 줄거리 가운데 하나는 이렇다. 우리는 대다수의 별들이 각각 그 자신의 태양계를 가지고 있음을 알게됐다. 그런데 우리의 은하계에만 수없이 많은 별이 존재하며, 우주에는 수없이 많은 은하계가 존재한다. 그토록 수없이 많은 태양계 가운데 극히 일부만이라도 생명체가 살기에 적합한 행성을 가지고 있고, 다시 그런 행성 가운데 극히 일부만에라도 실제로 생명체가 살고 있다고 하더라도 생명체가 살고 있는 행성이 수없이 많이 있을 것이 틀림없다. 따라서 생명체가 살고 있을 가능성이 있는 행성의 수는 상상할 수 없을 정도로 많다고 우리는 생각할 수 있다.♠

그렇다면 왜 어떤 사람들은 의심을 하는 걸까? 그 이유가 무엇인지 알아보라. 생명체가 서식할 수 있는 행성이 어느 정도의 빈도로 존재하는지에 대해, 또는 그러한 행성에 실제로 생명체가 생겨나서 발전하게 될 가능성이 어느 정도인지에 대해 우리는 사실 아는 게 전혀 없다고 지적하는 과학자들이 있다. 그런 것들은 모두 추측할 수밖에 없다는 것이다. 또 다른 비판자들은 다른 행성에 생명체(보다 정확하게는 지적 생명체)가 존재한다면 그 생명체가 그동안 자신의 존재를 우리에게 알려왔어야 하는데 그런 일은 아직 일어나지 않았다고 주장한다.

이 모든 논증은 다 어느 정도의 무게를 지니고 있고, 이 문제에 대해 할 수 있는 말이 아직 많이 남아있는 것이 분명하다.

....

♠ 최근에 제시된 이런 논증의 한 가지 예는 천문학자가 쓴 다음 글에서 볼 수 있다. Seth Shostak, 'Are We Alone?', in Civilizations Beyond Earth, edited by Douglas Vakoch and Albert Harrison (Berghahn, 2013), pp. 31~42.

그러므로 당신이 조사를 해보고 당신의 논증을 발전시켜 간다면 그 과정에서 예상치 못한 사실이나 관점을 만나게 될 수도 있다는 점을 당신은 이미 알아차렸을 것이다. 스스로 놀랄 준비를 해두어라. 당신이 좋아하지 않을 수도 있는 입장을 뒷받침하는 증거와 논증을 듣게 될 상황에 대비하라. 더 나아가 당신 스스로 흔들리게 되는 것을 허용할 태도를 갖추어라. 진정한 사고는 제약을 두지 않는 개방적인 과정이다. 요컨대 당신이 출발할 때에는 최종적으로 당신에 어디에 있게 될지를 알지 못한다는 것이다.

당신에게 부과된 것이 단지 어떤 하나의 주제만이 아니라 그 주제에 대한 어떤 하나의 입장이라고 하더라도 다른 다양한 견해들을 각각 옹호하는 논증을 살펴볼 필요가 있다. 그런 견해와 논증에 대응할 준비를 갖추기 위해서라도 그래야 한다. 그리고 그렇게 하고 나서도 당신에게 주어진 견해를 발전시키고 옹호하는 방법과 관련해 당신은 여전히 넓은 운신공간을 갖고 있을 것이다. 예를 들어 가장 크게 논란이 되는 쟁점에 대해서는 모든 사람이 이미 천 번은 들어온 것과 똑같은 논증을 당신이 굳이 펼쳐 보일 필요가 없다. 제발 그러지 말라! 창조적인 새로운 접근방법을 찾아라. 심지어는 다른 편과 공통되는 영역을 찾아보려고 노력할 수도 있다. 간추려 말해보겠다. 당신이 어떤 '주어진' 입장 안에서 시작해야 한다고 하더라도 당신이 나아가야 할 방향을 신중하게 선택하는 데 시간

을 들이고, 해당 쟁점에 대해 뭔가 진정한 진전을 이루는 것을
목표로 삼아라.

기본적인 생각을 논증으로 써보라

당신은 지금 논증을 만들어내는 작업을 하고 있음을 상기하라. 논증이란 구체적인 결론을 증거와 근거로 뒷받침하는 것이다. 당신이 어떤 하나의 입장을 형성하기 시작했다면 그 입장에 기본이 되는 생각을 가려내고 그 생각을 옹호하는 논증을 구성해야 한다. 커다란 종이를 한 장 펼쳐 놓고 거기에 초안을 쓰는 식으로 당신의 전제들과 결론을 개괄적으로 적어라.

처음에는 비교적 간단한 논증, 이를테면 3개 내지 5개의 전제를 가진 논증을 구성하는 것을 목표로 삼고, 내가 이 책에 제시해 놓은 형식들을 사용해 그렇게 해보라. 다른 행성에 생명체가 살고 있을 가능성을 옹호하는 기본적인 논증이 앞에서 소개됐다. 그 논증을 전제와 결론을 갖춘 형식으로 써보면 다음과 같이 된다.

우리의 태양계 외에도 수많은 태양계가 존재한다.

우리의 태양계 외에도 수많은 태양계가 존재한다면 지구와 유사한 다른 행성들이 존재할 가능성이 매우 높다.

지구와 유사한 다른 행성들이 존재할 가능성이 매우 높다면 그 가운데 일부에는 생명체가 존재할 가능성이 매우 높다.

따라서 다른 행성들 가운데 일부에는 생명체가 존재할 가능성이 매우 높다.

연습 삼아 전건을 긍정하는 형식과 가언 삼단논법의 형식을 사용해 위 논증을 연역논증으로 만들어보라.

또 하나의 예로 아주 다른 주제를 검토해보자. 최근에 학생 교환 프로그램을 크게 확대할 것을 제안하는 사람들이 일부 있었다. 훨씬 더 많은 미국의 젊은이들이 해외에 가볼 기회를 가져야 하며, 세계의 다른 나라들에서 훨씬 더 많은 젊은이들이 미국에 와볼 기회를 가져야 한다고 그들은 말한다. 그렇게 되게 하려면 비용이 드는 것은 물론이고 관련 제도와 관행의 폭넓은 재조정이 요구될 것이다. 하지만 그 결과로 보다 더 협조적이고 평화로운 세계가 실현될 수도 있다.

당신이 이런 제안을 발전시키고 옹호하고 싶어 한다고 생각해보자. 그렇다면 역시 우선은 그 제안의 기본적인 생각을 옹호하는 논증의 주된 줄거리를 개괄적으로 써볼 필요가 있다. 사람들은 왜 학생교환 프로그램의 확대를 제안하고 그렇게 열정적으로 주장하는 걸까?

논증의 첫 시도

해외를 여행하는 학생은 다른 나라를 이해하는 법을 배운다.

서로 다른 나라들 사이에 이해가 증진되는 것은 좋은 일일 것이다.

따라서 우리는 더 많은 학생을 해외로 내보내야 한다.

이 개괄적 논증은 하나의 기본적인 생각을 포착하고 있긴 하지만, 사실 그것은 다소 지나치게 기본적인 수준에 머물러 있다. 이 논증은 단순한 하나의 주장을 훨씬 넘어서기에 충분한 정도의 생각은 거의 밀하고 있지 않다. 예를 들어 서로 다른 나라들 사이에 이해가 증진되는 것이 왜 좋은 일일까? 또 학생들을 해외로 내보내는 것이 어떻게 해서 서로 다른 나라들 사이에 이해를 증진시키게 될까? 단 하나의 기본적인 논증이라도 그것을 조금 더 다듬을 수 있다.

더 나은 논증

해외를 여행하는 학생은 다른 나라를 이해하는 법을 배운다.

해외를 여행하는 학생은 일대일 외교사절이 되어 방문한 나라의 사람들이 학생의 모국을 이해하는 것을 돕는다.

양방향으로 이해가 증진되는 것은 상호의존 관계에 있는 세계 속에서 우리가 더 잘 공존하고 협력하도록 돕는다.

따라서 우리는 더 많은 학생을 해외로 내보내야 한다.

당신은 몇 가지 상이한 결론을(심지어는 서로 크게 다른 결론까지도) 시도해본 뒤에야 비로소 해당 주제에 대한 최선의 기본적인 논증을 찾아낼 수 있을지도 모른다. 당신이 옹호하고 싶은 결론이 무엇인지를 정한 뒤에도 여러 가지 논증의 형식들을 시도해본 뒤에야 정말로 잘 작동하는 논증의 형식이 어떤 것인지를 알아낼 수 있을지도 모른다(앞에서 내가 커다란 종이를 펼쳐 놓으라고 한 것은 진지하게 한 말이다!). 다시 앞의 여러 장에 걸쳐 소개된 규칙들을 이용하라. 이렇게 하려면 시간을 들여야 한다. 당신 자신에게 그럴 시간을 허용하라.

기본적인 전제도 논증으로 옹호하라

일단 당신의 기본적인 생각을 하나의 논증으로 썼다면 그 논증을 옹호하고 발전시킬 필요가 있다. 누구든 당신의 생각에 동의하지 않는 사람에게는(애초에 해당 문제에 대해 그다지 많이 알고 있지 못한 사람에게도 그렇겠지만) 당신의 기본적인 전제들 대부분을 각각 뒷받침하는 논증들을 제시해야 할 것이다. 그렇다면 그 전제들 하나하나는 당신이 추가로 제시하는 논증들 하나하나의 결론이 될 것이다.

예를 들어 다른 행성에도 생명체가 존재할 수 있느냐는 문제에 대한 앞의 논증(150~151쪽)을 돌이켜보자. 그 논증은 우리의 태양계 외에도 수많은 태양계가 존재한다는 전제에서 시작한다. 그 전제는 과학문헌과 뉴스보도를 인용하는 것을 통해 입증할 수 있다.

2017년 2월 17일 현재 파리 천문관측소의 '태양계 밖의 행성 백과사전'은 복수의 행성을 갖고 있는 다행성 체계에 속하는 수많은 행성을 포함해 그동안 발견된 다른 항성들의 주위를 도는 행성 3577개를 열거해 놓고 있다(http://exoplanet.eu/).

따라서 우리의 태양계 외에도 수많은 태양계가 존재한다.

다른 행성에도 생명체가 존재할 수 있다는 것에 대한 기본적인 논증의 두 번째 전제는 만약 우리의 태양계 외에 다른 태양계들이 존재한다면 그 가운데 지구와 유사한 행성을 갖고 있는 다른 태양계가 존재할 가능성이 매우 높다는 것이다. 그런데 그것을 우리가 어떻게 알 수 있는가? 그것을 뒷받침해주는 논증은 무엇인가? 여기에서 아마도 당신은 사실적인 지식을 끌어대거나 조사를 해볼 필요가 있을 것이다. 만일 당신이 그동안 그런 내용의 뉴스보도에 주의를 기울여왔다면 당신은 제시할 수 있을 만한 어떤 좋은 근거를 갖고 있을 것이다. 이에 대한 보통의 논증은 유비논증이다.

우리의 태양계는 거대한 가스행성에서부터 암석과 물로 이루어져 생명체가 살기에 적합한 행성에 이르기까지 다양한 종류의 행성을 갖고 있다.

우리가 아는 한 다른 태양계는 우리의 태양계와 유사할 것이다.

따라서 우리의 태양계 외에도 수많은 다른 태양계가 존재한다면 지구와 유사한 다른 행성이 존재할 가능성이 매우 높다.

이런 방식으로 당신의 기본적 논증의 전제들 모두에 대해 논증을 해나가라. 다시 말하지만, 이렇게 하려면 옹호할 필요가 있는 전제들 각각에 대해 적절한 증거를 찾아내는 작업이 요구된다. 그러한 작업을 하다 보면 당신은 스스로 자신의 전제들 가운데 어떤 것은 수정하게 되고, 그러다가 기본적인 논증 그 자체를 수정하게 될지도 모른다. 왜냐하면 당신의 전제나 결론은 당신이 마침내 찾아내게 된 증거에 의해 적절하게 뒷받침될 수 있어야 하기 때문이다. 이렇게 되는 것이 옳다! 훌륭한 논증은 대체로 '흐름'을 가지고 있으며, 따라서 그 각각의 부분은 나머지 다른 부분들에 의존한다. 이러한 작업은 학습의 경험이 된다.

학생교환 프로그램의 확대에 대한 기본적인 논증도 이와 같은 방식으로 접근할 필요가 있을 것이다. 예를 들어 해외에 나간 학생은 다른 문화를 이해하는 법을 배우게 된다고 당신이 생각하는 이유가 무엇이며, 어떻게 해야 그러한 당신의 생각을 다른 사람들에게 납득시킬 수 있을까? 예를 드는 것이 도움이 될 수 있다. 아마도 당신이 조사를 해보는 것을 통해, 또는 전문가(학생교환 프로그램을 실제로 운영해본 사람이나 사회과학자)에게 자문을 하는 것을 통해 찾아낼 수 있는 실태조사 결과나 연구 결과도 그런 예가 될 수 있다. 또한 당신의 논증에서 결여된 부분을 이러저러한 방법으로 보충할 필요가 있다. 학생교환 프로그램의 확대에 대한 논증의 두 번째 기본적 전제에 대해서도 똑같은 말을 할 수 있다. 다시 말해 해외에 나간 학생이 실제로 '일대일 외교사절'이 된다는 것을 우리는 어떻게 알 수 있을지를 생각해보라.

이 논증의 세 번째 기본적 전제(상호이해의 가치)는 혼동을 일으키거나 논란의 대상이 될 가능성이 낮으며, 따라서 논증을 압축해서 간단하게 하는 경우라면 이 세 번째 기본적 전제를 전개하지 않고 넘어갈 수도 있다(여기에서 기억해둬야 할 점: 당신의 기본적인 논증에 들어간 모든 전제가 다 전개와 옹호를 반드시 필요로 하는 것은 아니다). 그러나 논증의 설득력을 보다 분명하게 강화시키고자 하는 것도 좋은 생각이다. 예를 들어 기대되는 편익의 측면을 강조함으로써 그렇게 할 수 있다. 이런 작업은 다음과 같이 하면 될 것이다.

우리가 다른 문화를 이해하게 되면 그 문화의 장점을 다르게 바라볼 수 있으며, 그 문화의 장점을 아직 못 보았을지라도 보게 될 것이라는 기대를 하게 된다.

다른 문화에 대한 이해는 일종의 즐거움을 준다. 그것은 우리 자신의 경험을 풍부하게 해준다.

우리가 다른 문화의 장점을 다르게 바라보거나 보게 될 것이라고 기대할 때, 그리고 그 장점이 우리 자신의 경험을 풍부하게 해주는 것을 발견할 때 우리는 다른 문화에 대해 엄격하거나 편협한 판단을 하려는 유혹을 덜 느끼게 되고, 상호의존 관계에 있는 이 세계에서 더 잘 공존하고 협력할 수 있게 될 것이다.

따라서 우리가 다른 문화의 사람들과 서로 이해하는 것은 상호의존 관계에 있는 이 세계에서 더 잘 공존하고 협력하는 데 도움이 될 것이다.

여기에 나오는 전제들을 보완해주는 구체적인 예를 추가해보라. 그러면 당신의 논증은 전반적으로 훌륭하게 될 것이다.

규칙 32

반대견해를 고려하라

우리는 논증을 할 때 자신의 논증에 유리한 측면에만 관심을 갖는 경우가 아주 많다. 자신의 논증에 유리한 측면은 그것을 뒷받침해주는 측면이라고도 할 수 있다. 그리고 우리는 자신의 논증에 반대되는 견해는 충격으로 받아들이는 경향이 있다. 그러나 시간이 좀 지나면 우리가 있을 수 있는 문제점에 대해 충분히 생각하지 못했음을 깨닫게 될 것이다. 그러니 당신 스스로가 미리 있을 수 있는 문제점에 대해 충분히 생각해보면서 당신의 논증을 갈고 닦거나 논증을 근본적으로 수정해 두는 것이 나을 것이다. 이런 식으로 하면 당신이 해야 할 숙제를 다했고 해당 쟁점을 철저하고 어느 정도는 개방적인 정신으로(나는 당신이 이런 정신을 갖기를 바란다!) 탐구했음을 당신의 궁극적인 청중으로 하여금 분명히 알게 할 수 있을 것이다. 그러니 언제나 이런 질문을 던져라. "논증으로 뒷받침하려고 하는 결론에 대한 최선의 반대논증은 무엇일까?"

　대부분의 행동은 한 가지 결과만 가져오는 것이 아니라 여러 가지 결과를 가져온다. 당신이 아직 바라보지 못한 다른 결과들 가운데 별로 바람직하지 못한 것이 있을지도 모른다. 콩을 더 많이 먹는 것, 행복해지기 위해 결혼하는 것, 더 많은 학생을 해외로 내보내는 것과 같이 명백하게 좋은 생각들(여기서 '명백하게'란 어쨌든 우리에게는 그렇다는 말이다)에 대해서조차 사려 깊고 악의 없는 사람들이 반대할지도 모른다. 염려하는 사람들이 있을 수 있다고 예상하고 그러한 사람들이 염려하는 바를 성실하게 살펴보라.

예를 들어 해외에 나간 학생이 위험한 상황에 처할 수도 있고, 해외의 많은 학생을 미국에 들어오게 하는 것이 국가안보상 위험을 초래할 수도 있다. 그리고 국내의 학생을 해외에 내보내거나 해외의 학생을 국내에 들어오게 하는 데는 많은 비용이 든다. 이런 점들은 반대견해에 중요한 근거가 된다. 반면에 그러한 염려에 대해 적절하게 대답하는 것도 가능하다. 예를 들어 어쩌면 당신은 다른 문화와 교류하지 않는 것 역시 비용을 초래한다는 점을 이유로 들면서 학생교환 프로그램을 운영하는 데 들어가는 비용은 부담할 만한 가치가 있다고 주장하고 싶을지 모르겠다. 그리고 어쨌든 우리는 이미 많은 수의 젊은이(군인)를 해외의 대단히 위험한 곳으로 보내고 있다. 해외의 다른 나라 사람들에게 미국이 지닌 또 다른 종류의 얼굴을 보여주는 일에 드는 비용이라면 그것은 오히려 매우 좋은 투자라고 당신이 주장할 수도 있을 것이다.

당신의 제안이나 주장을 당신으로 하여금 다시 생각해보게 하는 반대견해도 있을 수 있다. 이런 경우로는 학생교환 프로그램의 확대에 대한 국가안보상 우려가 제기되는 것을 들 수 있다. 이런 우려는 해외의 학생 가운데 미국에 들어오게 할 초청대상자를 선정하는 문제에 대해 신중할 것을 우리에게 요구하는 것으로 볼 수도 있다. 해외의 학생들을 미국에 들어오게 할 필요성은 분명히 있다. 그렇게 하지 않는다면 해외에 잘못 형성돼 있는 미국과 미국인의 인상을 다른 어떤 방법으로 우리가 바로잡을 수 있겠는가? 그러나 당신은 미국에 들어오게 할 초청대상자의 선정과 관련해 어떤 제한을 두는 것이 공정한 조치가 될 수 있다고 주장할 수도 있을 것이다.

어쩌면 당신이 어떤 일반적이거나 철학적인 주장을 하는 데 관심을 두고 있을지도 모르겠다. 예를 들어 인간은 자유의지를 갖고 있다거나(또는 갖고 있지 않다거나), 전쟁은 인간의 본성에 내재돼 있다거나(또는 내재돼 있지 않다거나), 생명체가 존재하는 다른 행성이 있다거나(또는 있지 않다거나) 하는 주장을 당신이 하고 싶어 할 수도 있다. 이런 경우에도 반대견해를 듣게 되리라고 예상하라. 당신이 학교에 제출할 논문을 쓰는 중이라면 교과서나 참고서, 인터넷 자료(신뢰할 만한 것) 등에서 당신의 주장이나 해석에 비판적인 견해를 찾아보라. 당신과 다른 견해를 갖고 있는 사람들과 대화를 나눠보라. 당신이 만나게 되는 우려와 반대견해를 샅샅이 살펴보고, 그 가운데 가장 설득력이 크고 가장 보편적인 것들을 골라내어 그런 것들에 대해 대답을 해보라. 그리고 당신 자신의 논증을 재평가해보는 일을 잊지 말라. 반대견해를 고려하면 당신의 전제나 결론을 수정하거나 더 발전시켜야 할 필요성이 있지는 않은가?

대안을 탐색하라

당신이 어떤 제안을 내놓고 옹호하려고 한다면 그 제안이 어떤 문제를 해결해줄 것임을 증명하는 것만으로는 충분하지 않다. 그 문제를 해결하기 위한 다른 그럴듯한 방법보다 당신의 제안이 더 낫다는 것도 증명해야 한다.

> 더럼 시의 수영장들은 사람들로 너무 붐비고, 주말에는 특히 더 그렇다. 따라서 더럼 시는 수영장을 더 많이 설치할 필요가 있다.

이 논증은 몇 가지 측면에서 설득력이 약하다. 한 가지 예를 들자면 '너무 붐비고'라는 표현은 모호하다. 누가 어떤 경우에 수영장 안에 너무 많은 사람들이 있다고 판단한다는 걸까? 많은 사람들이 있는 곳에 일부러 찾아가는 사람들도 있다. 하지만 이런 약점을 고친다고 해도 그렇게 하는 것만으로는 여전히 이 논증의 결론이 정당화되지 못할 것이다. 문제를(또는 문제가 될 만한 것을) 해결하는 더 합리적인 다른 방법이 있을 수 있다.

어쩌면 기존 수영장들의 개장시간을 더 늘려서 수영을 즐기러 오는 사람들이 늘어난 개장시간 전체에 걸쳐 더 분산되게 할 수도 있을 것이다. 어쩌면 수영장들이 평균적으로 덜 붐비는 시간대에 수영을 즐기러 오라고 사람들에게 홍보할 수도 있을 것이다. 어쩌면 수영대회를 비롯해 일반인의 입장을 통제하면서 열어야 하는 행사를 주말을 피해 평일에 열도록 하는 것도 가능할 것이다. 또는 더럼 시 당국에서 아무런 조치도 취하지 않고 수영장을 이용하는 사람들 각자가 스스로 알아서 자신의 수영장 이용시간을 조정하도록 놔둘 수도 있을 것이다. 당신이 여전히 더럼 시가 수영장을 더 많이 설치해야 한다고 주장하고 싶다면 이러한 여러 가지 대안(비용이 훨씬 적게 들 대안) 가운데 어느 것보다도 당신의 제안이 더 나음을 증명해야 한다.

대안을 탐색하는 일이 단지 형식적인 절차에 그쳐서는 안 된다. 따분할 정도로 뻔하고 쉽게 반박할 수 있는 몇 가지 대안만을 빠르게 훑어보고는 놀라운 발견이라도 한 듯이 당신의 원래 제안을 재확인하는 식이어서는 안 된다. 진지한 대안을 찾아보라. 그리고 창의적인 사고를 하라. 심지어는 아주 새로운 어떤 대안이 당신의 머리에 떠오를 수도 있다. 수영장을 연중무휴로 24시간 개장하게 하는 것은 어떨까? 수영장이 덜 붐비는 저녁시간대에 수영장 안에 스무디 바를 설치해 운영함으로써 낮시간대에 수영을 즐기던 사람들 가운데 일부를 저녁시간대로 유인해보는 것은 어떨까?

정말로 좋은 생각이 떠올랐다면 당신의 결론을 수정해야 할 필요가 있을 수 있다. 예를 들어 학생교환 프로그램을 조직하는 데 훨씬 더 나은 방법이 있지 않을까? 어쩌면 우리는 그러한 기회를 학생에게만 한정해 제공하기보다 모든 부류의 사람들에게 폭넓게 제공해야 하는지도 모른다. 노인을 위한 교환 프로그램을 도입해보는 것은 어떨까? 가족, 교회, 직장을 단위로 하는 교환 프로그램을 시행해서는 안 될 이유도 없지 않은가? 그렇다면 문제는 더 이상 '학생들을 해외로 내보내는 것'과만 관련된 것이 아니다. 그러니 당신이 펼쳐놓은 커다란 종이로 돌아가서 거기에 기본적인 논증을 다시 써보라. 이런 것이 바로 진정한 사고가 작동하는 방식이다.

일반적이거나 철학적인 주장에도 대안의 선택지가 있다. 예를 들어 지구가 아닌 우주의 다른 곳에는 문명이 존재할 것 같지 않다고 주장하는 사람들이 있다. 왜냐하면 우주의 다른 곳에 문명이 존재한다면 그동안 우리가 그 문명으로부터 뭔가를 전해 들었을 것이 틀림없지만 그런 적이 없기 때문이라는 것이다. 그런데 이렇게 주장하는 사람들의 전제는 참인가? 다른 가능성도 있지 않을까? 어쩌면 우주에 다른 문명이 존재하지만 그 문명은 그저 우리가 하는 말을 듣기만 하고 있을지도 모른다. 어쩌면 그 문명의 생명체들은 조용하게 살아가기를 선택했거나, 우리에게 아무런 관심도 가지고 있지 않거나, 우리와는 다른 방식으로 '문명화'되어 기술이라는 것을 갖고 있지 않을 수도 있다. 어쩌면 그들은 우리와 의사소통을 하려고 노력하고 있지만 우리가 들을 수 있는 방식으로 의사소통을 시도하지는 못하고 있을지도 모른다. 이것은 추측에 대단히 많이 의존해야 하는 문제이기는 하다. 그러나 방금 열거한 것들과 같은 대안의 가능성이 존재한다는 점은 우주의 다른 곳에 문명이 존재할 가능성에 대한 반대주장을 약화시킨다.

그런데 지구와 매우 다른 종류의 행성에 생명체가 생겨날 수 있고 실제로 그랬다면 그 생명체는 지구상의 생명체와 매우 다른 형태일 것이라고 생각하는 과학자들도 많이 있다. 이것도 또 하나의 가능성 있는 대안의 선택지이지만, 그 진실 여부를 판단하기는 어렵다. 그러나 이것도 우주의 생명체 존재에 관한 기본적인 논증을 뒷받침하고 더욱 확장하는 데 사용될 수 있다. 기본적인 논증이 시사하는 정도보다 생명체가 훨씬 더 폭넓게 존재할 수도 있다고 생각해볼 수 있지 않을까?

8장

논증글

당신이 이미 스스로 선택한 쟁점을 탐구했고, 기본적인 논증의 윤곽을 잡았으며, 그 전제들을 옹호했다고 가정하지. 당신은 자신의 생각을 공개적으로 밝힐 준비를 갖추었다. 그리고 아마도 논증글(argumentative essay)을 써서 그렇게 하려고 할 것이다.

확장된 논증을 쓰는 것은 마지막 단계임을 상기하라! 만약 당신이 지금 막 이 책을 집어 들고 펼쳐서 이 장을 보게 된 것이라면 다시 생각해보라. 논증글을 다루는 이 부분이 이 책의 첫 번째 장이 아니라 여덟 번째 장에 배치된 데에는 이유가 있다. 어느 여행객이 아일랜드의 농촌사람에게 더블린에 가려면 어떻게 해야 하느냐고 묻자 그 농촌사람이 "더블린에 가려면 여기에서 출발하지 말라"고 대답했다는 속담도 있지 않은가.

1장부터 6장까지에서 소개된 규칙들은 간단한 논증글을 쓰는 데에도 적용되지만 다소 긴 논증글을 쓰는 데에도 적용된다는 점을 명심하라. 특히 1장에서 소개된 규칙들을 다시 살펴보

라. 거기에는 '구체적이고 간명해야 한다', '어감에 기대지 말고 실질적 근거를 대라' 등의 규칙들이 소개돼있다. 여기에서는 논증글을 쓰는 데 초점이 맞춰진 규칙 몇 가지를 더 소개하겠다.

곧바로 들어가라

실질적인 작업으로 곧바로 들어가라. 허풍 떠는 준비동작이나 멋 부리는 미사여구는 필요 없다.

잘못된 예

오랜 세월에 걸쳐 철학자들은 행복하기 위한 최선의 방법에 대해 토론해왔다.

그런 것은 우리가 이미 알고 있다. 당신이 하고자 하는 말을 바로 꺼내라.

잘된 예

이 글에서 나는 인생에서 가장 좋은 것들은 실제로 공짜임을 증명하겠다.

규칙 35
주장이나 제안을 분명하게 내세워라

제안을 하려거든 구체적으로 하라. "우리는 무언가를 해야 한 다"라고 말하는 것은 진정한 제안이 아니다. 꼭 자세해야 할 필요는 없다. "운전 중의 휴대전화 사용은 금지돼야 한다"는 하나의 구체적인 제안이자 매우 간단한 제안이다. 그러나 미국 은 해외유학 프로그램을 확대해야 한다고 주장하고자 한다면 그런 생각은 보다 복잡한 것이니 어느 정도는 자세하게 진술해 야 할 것이다.

어떤 철학적인 주장을 하려고 하거나 어떤 글이나 사건에 대한 자신의 해석을 옹호하려고 하는 경우에도 마찬가지로 그 주장이나 해석을 간명하게 진술하는 것에서 시작해야 한다.

다른 행성에 생명체가 존재할 가능성이 대단히 높다.

이렇게 시작해야 분명하게 바로 찌르고 들어가는 맛이 있 다!

학술적인 글은 어떤 주장이나 제안을 옹호하거나 반박하는 논증들을 단지 평가하는 데만 목적을 둘 수도 있다. 당신이 자신의 주장이나 제안을 내놓으려고 하는 입장이 아닐 수도 있고, 어떤 구체적인 판단에 도달하려고 하는 입장이 아닐 수도 있다. 예를 들어 어떤 논쟁에서 어느 한 방향의 논증만을 살펴보는 입장일 수 있다. 그렇다면 당신이 하려고 하는 일은 바로 그런 것이라고 즉각 분명하게 밝혀라. 때로는 어떤 입장이나 제안을 옹호하거나 반박하기 위해 제시된 논증들이 아직은 확실한 결론을 내릴 만한 수준에 이르지 못했다는 것이 당신의 결론일 수 있다. 그래도 좋다. 그러나 그렇다면 그러한 당신 자신의 결론을 즉각 분명하게 밝혀라. 당신은 자신이 쓴 글마저 확실한 결론을 내리지 못하고 엉거주춤 마무리한 글로 보이게 하고 싶지는 않을 것이다!

논증의 개요를 잡아 제시하라

이제는 당신이 쓰는 글의 주된 부분, 즉 당신의 논증으로 나아간다. 먼저 그것을 압축해 개술하라. 당신이 윤곽을 잡은 기본적인 논증을 간명한 구절로 표현하라.

> 우리의 태양계 외에 다른 태양계가 많이 발견되고 있다. 나는 그 가운데 많은 태양계에 지구와 유사한 행성이 있을 가능성이 높음을 논증할 것이다. 또 그 가운데 많은 행성에 생명체가 있을 가능성이 높다. 그렇다면 다른 행성에 생명체가 존재할 가능성이 매우 높다.

여기에서 당신의 목적은 당신의 글을 읽는 사람들에게 단지 큰 그림을 보여주는 데 있다. 당신이 어디로 가고자 하는지, 그리고 그곳에 도달하기 위해 어떻게 하고자 하는지에 대한 분명한 조감도를 보여주려는 것이다.

논증글을 쓰려는 것이라면 이제 이 기본적인 논증의 전제들 각각을 더욱 발전시켜야 한다. 다시 말해 각각의 전제에 대해 그 전제를 다시 진술하는 것으로 시작한 다음에 그것을 더욱 발전시키고 옹호하는 구절을 쓰는 것이다.

먼저 우리의 태양계 외에 다른 태양계가 많이 발견되고 있다는 주목할 만한 사실을 검토해보자. 2017년 2월 17일 현재 파리 천문관측소의 '태양계 밖의 행성 백과사전'은 복수의 행성을 갖고 있는 다행성 체계에 속하는 수많은 행성을 포함해 그동안 발견된 다른 항성의 행성 3577개를 열거해놓고 있다(http://exoplanet.eu/).

그런 다음에 몇 가지 예들, 이를테면 가장 최근의 흥미로운 발견들에 대한 논의로 넘어갈 수도 있다. 보다 긴 글에서는 그 밖의 다른 행성들의 목록을 인용할 수도 있고, 그러한 행성들을 발견하는 데 이용된 방법을 설명할 수도 있다. 그렇게 할 것인지 말 것인지는 그렇게 할 여유가 당신에게 있는지의 여부와 당신의 글을 읽을 사람들이 어느 정도로 자세한 설명과 뒷받침하는 증거를 필요로 하거나 기대하는가에 따라 다를 것이다. 그 다음에는 똑같은 방식으로 당신의 다른 기본적인 전제들도 설명하고 옹호하라.

당신의 기본적인 논증에 들어간 전제 가운데는 꽤 자세하게 옹호해야 할 필요가 있는 것도 있을 수 있다. 그러한 전제도 위와 똑같은 방식으로 다루어라. 먼저 당신이 옹호하려는 전제를 진술하고, 당신의 글을 읽는 사람들에게 당신의 주된 논증에서 그 전제가 어떤 역할을 하는지를 상기시켜라. 그 다음에는 그 전제에 대해 당신이 제시하려는 논증의 개요를 밝혀라(다시 말해 그 전제를 이어지는 논증의 결론이 되게 하라는 것이다). 그런 뒤에 논증을 본격적으로 펼치되 그 논증 속의 전제들 하나하나에 한 구절 정도씩을 배정하라.

예를 들어 앞장의 규칙 31(기본적인 전제도 논증으로 옹호하라)에서 우리는 다른 행성에 생명체가 존재할 가능성을 옹호하는 기본적인 논증의 두 번째 전제를 옹호하기 위한 논증을 전개했다. 여기에서는 그것을 한 구절로, 그리고 그 문체를 조금 더 다듬어 끼워 넣어보자.

다른 태양계에도 지구와 유사한 행성이 있다고 우리가 생각할 수 있는 이유는 무엇일까? 천문학자들은 흥미로운 유비논증을 제시한다. 그들은 우리의 태양계에 다양한 종류의 행성이 있음을 지적한다. 어떤 것은 거대한 가스행성이고, 어떤 것은 암석으로 이루어져 물과 생명이 존재하기에 아주 적합하다. 다음으로 그들은 우리가 아는 한 다른 태양계도 우리의 태양계와 유사할 것이라고 말한다. 따라서 그들은 다른 태양계에도 암석으로 이루어져 물과 생명체가 존재하기에 아주 적합한 행성을 포함해 다양한 종류의 행성이 있을 가능성이 매우 높다는 결론을 내린다.

이제 당신은 이 글에 진술된 점들을 차례로 설명하고 옹호할 필요가 있을 것이다. 그래서 그 가운데 어떤 것들에 대해서는 각각 한두 구절씩을 덧붙여야 할지도 모른다. 예를 들어 당신의 글을 읽는 사람들에게 우리의 태양계에 존재하는 행성이 다양하다는 점을 일깨워줄 수도 있고, 그동안 발견된 다른 다양한 행성 가운데 몇 가지를 묘사해줄 수도 있다.

당신이 기본적인 논증으로 돌아갈 때마다 독자들로 하여금 그 기본적인 논증에 다시 주목하게 해야 한다. 어느 정도로 그렇게 해야 하는지는 위와 같은 당신의 설명이 얼마나 길고 자세한지에 따라 다를 것이다. 말하자면 '안내지도'를 꺼내어 펼쳐놓고 당신의 주된 결론으로 나아가는 여행에서 당신이 지금 어느 위치에 있는가를 독자들에게, 그리고 당신 자신에게 상기시키라는 것이다.

이제 우리는 우리의 태양계 외에 다른 태양계가 이미 발견되고 있으며, 지구와 유사한 행성이 또 존재할 가능성이 매우 높은 것으로 여겨진다는 점을 알게 됐다. 우리가 하는 논증의 마지막 전제는 이렇다. 만약 지구와 유사한 행성이 또 존재한다면 그 가운데 생명체가 있는 행성이 존재할 가능성이 매우 높다는 것이다.

당신은 이미 개요에서 이 전제에 대해서도 옹호하는 논증을 제시했을 것이다. 이제 그것을 자연스럽게 다시 등장시킬 수 있다.

위와 같은 논증들 모두에서 쓰는 말이 일관돼야 한다(규칙 6)는 것이 중요함에 주목하라. 우리가 방금 살펴본 것과 같이 분명하게 서로 연관된 전제들이 일관된 표현으로 진술되면 글 전체가 짜임새 있게 된다.

반대견해를 자세히 서술하고 대응하라

규칙 32는 있을 수 있는 반대견해에 비추어 당신의 논증을 다시 생각해보고 필요하다면 수정하라고 요구했다. 당신이 쓰는 글 안에서 반대견해를 자세히 서술하고 그것에 대응하라. 이렇게 하는 것은 독자들에게 당신의 견해가 더욱 설득력 있는 것이 되게 할 뿐만 아니라 당신이 해당 주제에 대해 신중하게 생각했음을 증언해준다.

잘못된 예

학생교환 프로그램을 확대하는 것은 학생들에게 너무 많은 위험을 안겨줄 것이라고 반대하는 사람들도 있을 수 있다. 그러나 나는 ……라고 생각한다.

그런가? 그런데 어떤 종류의 위험을 말하는 것인가? 그러한 위험이 왜 발생한다는 것일까? 반대견해의 배후에 깔려 있는 근거들을 알아내어 적어라. 시간을 들여 반대논증 전체의 윤곽

을 그려내라. 반대논증의 결론만을 언급하고 성급하게 당신의
논증을 옹호하려고 하지 말라.

잘된 예

학생교환 프로그램을 확대하는 것에 대해 학생들에게 너무 많은 위험
을 안겨줄 수 있다는 이유로 반대하는 사람들이 있을 수 있다. 내가 보
기에 그러한 우려는 해외로 나가는 학생들은 어쨌든 대부분 젊은이이
고 세상일에 밝지 못하여 속임을 당하거나 상해를 입기 쉬우며, 특히
생활여건이 열악하고 안전장치와 보호가 상대적으로 부족한 지역에서
는 더욱 그럴 수 있다는 점에 일부 기인하는 것이다.

외국인에 대한 공포와 불신이 테러리즘에 대한 두려움과 결합하면서
고조되고 있는 요즘과 같은 시기에는 학생들의 생명이 문제가 될 수
있으므로 그런 우려가 더욱 예민해질 수 있다. 교환학생이 치열한 지
역적 권력게임의 볼모가 되는 것이 우리가 바라는 것이 아님은 분명하
다. 서양인 여행자가 해외에서 때로 테러리스트의 표적이 되는 일이
이미 일어나고 있다. 우리는 그와 같은 일이 교환학생에게도 일어날
수 있다는 우려를 당연히 해야 한다.

이런 우려들은 진지한 것이다. 그렇지만 똑같이 진지한 대응도 역시
가능하다. ⋯⋯.

이제는 반대견해가 정확하게 무엇인지가 분명해졌고, 당신
은 그 반대견해에 효과적으로 대응해볼 수 있다. 예를 들어 위

험은 국경 밖으로 나가면서 시작되는 것이 아니라는 점을 지적할 수 있다. 해외의 다른 나라들 가운데 미국의 많은 도시들보다 더 안전한 곳도 많다. 보다 복잡한 대응의 한 가지 예를 들어보자. 적어도 미국사회 전체를 놓고 보면 문화적 외교사절을 해외에 보내지 않는 것도 위험을 초래할 수 있다. 국제적인 오해와 그것이 불러일으키는 증오로 인해 세계가 모든 미국인에게 더 위험한 곳이 될 수도 있는 것이다.

그리고 위험을 줄이는 방향으로 교환 프로그램을 설계하는 창의적인 방식도 틀림없이 있지 않겠는가? 그러나 당신이 반대견해의 배후에 깔려 있는 논증을 자세히 서술하지 않았다면 아마도 당신은 방금 열거한 가능성들에 대해 생각도 하지 못했을 것이고, 당신이 반대견해를 언급했더라도 독자들은 그 의미를 파악하지 못했을 것이다. 반대견해를 자세히 서술하면 당신의 논증이 더 풍부한 내용을 갖출 수 있다.

규칙 38
피드백을 찾아 활용하라

아마도 당신은 자신이 하는 말이 무슨 뜻인지를 정확히 알고 있을 것이다. 당신에게는 모든 것이 분명하게 느껴진다. 그러나 당신 말고는 아무에게도 당신이 하는 말이 무슨 뜻인지가 전혀 분명하지 않을 수 있다! 당신에게는 서로 연관돼있다고 여겨지는 것들이 당신의 독자에게는 서로 완전히 무관한 것들로 보일 수도 있다. 학생이 자기 딴에는 명쾌하고 분명하게 썼다고 생각하면서 글을 제출했다가 나중에 그 글을 돌려받을 때에는 자기가 그 글을 쓸 때 무슨 생각을 하고 있었던 것이냐며 스스로도 이해하지 못하겠다는 표정을 짓는 경우를 나는 그동안 많이 보았다. 그런 학생은 성적도 그리 좋지 못한 경향이 있다.

　어떤 지위나 위치에 있든 글을 쓰는 사람에게는 피드백이 필요하다. 당신의 글이 어느 지점에서 불분명하거나 성급하거나 말도 안 되는지를 가장 잘 파악할 수 있는 방법은 다른 사람들의 눈을 통해서 그 글을 보는 것이다. 피드백은 당신의 논리를 개선시켜 주기도 한다. 당신이 예상하지 못했던 반대견해를 만나게 될 수도 있다. 당신은 반박의 여지가 없이 확실하다고 생각했던 전제가 옹호해줘야 할 필요가 있는 것으로 드러날 수도 있는 반면에 어떤 전제는 글을 쓸 때 생각했던 정도보다 더 확실한 것으로 드러날 수도 있다. 심지어는 몇 가지 새로운 사실과 사례를 얻게 될 수도 있다. 피드백은 언제나 '실태점검' 방법이 된다. 그러니 피드백을 기꺼이 받아들여라.

　학생들이 쓴 글의 초안에 대해 학생들끼리 서로 피드백을 해주게 하는 과정을 강의시간표에 끼워 넣는 선생님들이 있다. 당신을 가르치는 선생님이 그렇게 하지 않는다면 당신이 직접 그런 기회를 만들어라. 같은 강의를 듣는 학생 가운데서 그렇게 할 뜻을 가지고 있는 학생을 찾아내어 서로 쓴 글을 교환해서 읽어보라. 당신이 다니는 학교에 '글쓰기 센터(Writing Center)'가 있으면 거기에도 가보라(미국의 대학에는 대체로 글쓰기 센터가 설치돼 있다). 당신의 글을 읽는 사람들에게 비판적으로 읽어달라고 부탁하고, 당신 자신도 그들이 쓴 글을 비판적으로 읽어보겠다고 약속하라. 당신의 글을 읽는 사람들이 당신의 글에 대해 어떤 의견을 제시했다가 자칫하면 당신의 마음을 상하게 할 수도 있다고 염려할 수 있다. 그러니 필요하다면 당신의 글을 읽어줄 사람들 각자에게 어떤 측면에서 어떤 범위의 비판과 제안을 해달라고 구체적으로 부탁할 수도 있을 것이다. 당신의 글을 비판적으로 읽어주기로 한 사람이 글을 건성건성

읽고서 그 내용과는 상관없이 "참으로 훌륭한 글"이라고만 당신에게 말한다면 그런 태도는 예의바른 것일지는 모르나 당신에게 도움이 되지는 않을 것이다. 당신의 선생님과 궁극적인 청중은 당신에게 그런 무사통과를 허용하지 않을 것이다.

피드백이 이루어진 과정이 우리의 눈에 보이지 않는 경우가 많은데 이는 우리로 하여금 피드백을 과소평가하게 하는 원인 가운데 하나다. 우리가 논문이든 책이든 잡지든 이미 완성된 글만을 읽는 경우에는 글을 쓰는 것이 본질적으로 일종의 과정이라는 점을 간과하기 쉽다. 그러나 사실은 당신이 읽는 모든 글 하나하나가 다 누군가가 백지에서 출발해 수백 번의 선택을 하고 거듭거듭 수정을 한 끝에 완성한 것이다. 당신이 지금 손에 들고 읽고 있는 바로 이 책도 영문 원서 기준으로 이번 5판에 이르기까지 적어도 스무 번 이상 원고를 고쳐 쓰는 과정을 거쳤다. 물론 그 과정에서 수많은 사람들로부터 공식적이거나 비공식적인 피드백을 받았다. 논증을 발전시키는 것, 비판을 주고받는 것, 표현을 분명하게 하는 것, 필요하면 수정을 하는 것이 핵심이다. 이러한 것들이 이루어지게 해주는 것이 바로 피드백이다.

부디 겸손하라!

마지막에는 요약을 하되 공정하게 하라. 당신이 증명한 것보다 더 많이 주장하지 말라.

잘못된 예

요컨대 더 많은 학생들을 해외로 내보내야 한다는 주장을 뒷받침해주는 근거는 얼마든지 있는 반면에 이와 반대되는 견해들은 모두 전혀 타당하지 않다. 우리가 무엇을 더 기다려야 하는가?

잘된 예

요컨대 더 많은 학생들을 해외로 내보내야 한다는 주장은 호소력 있는 논거를 가지고 있다. 불확실한 점이 남아있을 수 있지만 그렇더라도 전반적으로 보면 그렇게 하는 것이 유망한 조치인 것 같다. 그것은 한번 시도해볼 만한 가치가 있다.

어쩌면 두 번째 논증도 나름대로 지나친 점이 있을 수 있다.

하지만 여기서 중요한 핵심이 무엇인지는 당신도 알아차렸을 것이다. 당신이 모든 반대론을 다 잠재우기란 매우 어려운 일일 테고 어쨌든 이 세계는 불확실한 곳이다. 우리는, 적어도 우리 가운데 대다수는 전문가가 아니며, 전문가라 하더라도 틀릴 수 있다. "한번 시도해볼 만한 가치가 있다"고 하는 정도가 최선의 태도다.

9장

구두논증

때로는 당신이 소리를 내어 말로 논증을 하게 될 것이다. 같은 강의를 듣는 학생들 앞에서 토론을 해야 할 수도 있고, 학생회 예산에서 당신이 속한 동아리에 배정되는 몫을 늘려야 한다는 주장을 해야 할 수도 있다. 당신과 한 동네에 같이 사는 이웃을 위해 시의회에 나가 증언을 해달라는 부탁을 받을 수도 있고, 당신이 관심이나 전문성을 갖고 있는 주제에 대해 흥미를 느낀 어떤 모임에서 그 주제에 관해 강연을 해달라고 당신을 초청할 수도 있다. 청중이 당신에게 우호적인 경우도 있을 것이고, 청중이 중립적인 입장이지만 당신이 하는 말을 귀 기울여 들어보려는 태도를 보이는 경우도 있을 것이며, 청중이 다른 의견을 가지고 있어 그들을 설득해야 할 필요가 있는 경우도 있을 것이다. 어느 경우에나 당신은 훌륭한 논증을 효과적으로 펼치고 싶을 것이다.

이 책에서 지금까지 여덟 장에 걸쳐 소개한 규칙들은 모두 논증글에는 물론이고 구두논증에도 적용된다. 그에 더해 이 장에서는 특히 구두논증에 적용되는 몇 가지 규칙을 추가로 소개하겠다.

귀를 기울여주기를 요청하라

구두논증은 말 그대로 다른 사람들이 귀로 들어주기를 바라면서 입으로 소리 내어 하는 논증이다. 당신은 당신이 하는 말을 청중이 들어주기를 원한다. 청중이 당신을 존중하거나 적어도 어느 정도는 개방적인 마음으로 당신이 하는 말을 들어주기를 바란다. 그런데 청중은 처음부터 당신을 존중하거나 개방적인 마음으로 듣기를 시작할 수도 있지만 그러지 않을 수도 있다. 심지어는 당신이 말하고자 하는 주제에 대해 청중은 진정한 관심을 갖고 있지 않을 수도 있다. 당신이 원하는 종류의 청취 태도를 청중이 갖추게 하려면 당신이 그들에게 다가가야 한다.

청중에게 다가가는 한 가지 방법은 당신 자신의 열정을 통해서 다가가는 것이다. 당신이 말하고자 하는 주제에 대한 당신 자신의 관심과 에너지의 일부를 일찌감치 당신이 하는 말에 집어넣어라. 이렇게 하면 청중이 당신의 개성을 느끼게 되고, 청중의 열기도 한 단계 높아질 것이다.

오늘 여러분에게 이야기할 기회를 주셔서 감사합니다. 저는 학생교환 프로그램이라는 주제에 대한 하나의 새로운 생각을 말씀드리고 싶습니다. 저는 그것이 흥미로운 동시에 고무적인 제안이라고 생각합니다. 제 이야기가 끝날 때쯤이면 여러분도 그렇게 생각하게 되기를 진심으로 바랍니다.

이런 식으로 이야기하는 것 자체가 청중을 수용하는 태도를 보여준다는 점에도 주목하라. 그러한 태도는 바로 청중이 당신에게 보여주기를 당신이 바라는 태도와 같은 것이다. 그렇게 해도 청중이 당신에게 그러한 태도를 보이지 않을 수도 있다. 그러나 애초에 당신이 먼저 청중에게 그러한 태도를 보여주지 않는다면 청중은 결코 당신에게 그런 태도를 보이지 않을 것이 분명하다. 얼굴을 마주보고 이야기하는 것은 그 효과가 매우 강력할 수 있다. 게다가 능숙하면서도 꿋꿋하게 이야기한다면 그 효과가 더욱 커지고, 커다란 의견차이가 존재하는 상황에서도 그렇게 이야기하는 사람에 대해서는 존중하는 태도가 청중 사이에 형성된다.

청중을 얕본다는 느낌을 주면서 말하지 말라. 그들은 당신이 이야기하는 주제에 대해서는 당신보다 아는 게 적을 수 있다. 그러나 그 주제에 대해서 그들도 배울 수 있을 것이 틀림없고, 당신 자신도 더 배울 것이 있을 것이다. 당신이 청중 앞에 선 것은 그들을 무지에서 구해내기 위해서가 아니라 당신이 갖고 있는 새로운 정보와 생각에 대해 그들도 당신처럼 흥미롭고 시사하는 바가 있다고 느끼기를 기대하고 그 새로운 정보와 생각을 그들과 공유하기 위해서다. 다시 말하지만 청중에게 어떤 종류든 우월감을 갖고 다가가지 말고 열정을 갖고 다가가라.

당신의 청중을 존중하라. 그리고 당신 자신도 스스로 존중하라. 당신이 그 자리에 있게 된 것은 그들에게 이야기해줄 무언가를 당신이 갖고 있기 때문이다. 그리고 그들이 그 자리에 있게 된 것은 당신이 그들에게 이야기해줄 무언가를 듣고 싶거나 그들 자신의 직업이나 공부와 관련해 그러한 무언가를 들을 필요가 있기 때문이다. 당신이 그들의 시간을 빼앗게 되어 미안하다고 사과할 필요는 없다. 단지 귀를 기울여 들어주어 고맙다는 말만 하라. 그리고 주어진 시간을 잘 활용하라.

현장에 집중하라

공개적으로 대화나 연설을 하는 것은 얼굴을 마주보고 직접 의사소통을 하는 일이다. 그것은 독서를 할 때 우리가 개인적으로 하는 일의 공개적인 형태이기만 한 것이 아니다. 어쨌든 사람들이 당신이 하는 이야기의 내용만을 원한다면 당신의 글을 읽는 것이 그들에게 훨씬 더 효율적인 방법일 것이다. 사람들이 당신이 하는 말을 들어보려고 와 있는 이유 가운데 하나는 당신이 거기에 와 있다는 것이다.

그러니 현장에 집중하라! 먼저 당신의 청중을 바라보아라. 시간을 들여 당신을 그들과 통하게 하라. 거기에 있는 사람들과 눈을 마주치고 그 눈을 붙들어라. 많은 사람들 앞에서 이야기하려면 긴장해서 안절부절못하게 되는 사람이라면 때로는 청중 가운데 한 사람을 골라 그 사람과만 만나서 대화하는 것처럼 그 사람을 향해 이야기하는 것이 좋을 수도 있다. 필요하다면 그렇게 하라. 다만 그렇게 한 다음에 한 단계 더 나아가라. 다시 말해 청중 모두를 돌아가면서 한 번에 한 사람씩을 향해 이야기하라.

감정을 표현하면서 이야기하라. 마치 하기 싫은 일을 하는 것처럼 미리 준비된 글을 읽어 내려가듯 이야기하지 말라. 당신이 거기에 와 있는 사람들에게 이야기하고 있다는 사실을 상기하라! 당신은 지금 당신의 친구와 활기차게 대화하고 있다고 상상하라(물론 실제로 친구와 대화할 때보다는 좀 더 일방적으로 이야기하고 있기는 하겠지만). 그리고 그렇게 친구와 대화를 할 때와 같은 마음으로 청중에게 이야기하라.

글을 쓰는 사람이 자신의 글을 읽는 사람들을 만나게 되는 일은 드물다. 그러나 당신이 공개적인 장소에서 이야기하는 경우에는 당신이 하는 말을 듣는 사람들이 바로 거기에, 당신의 눈앞에 있고, 당신은 그들에게서 끊임없이 피드백을 받는다. 바로 그 피드백을 활용하라. 사람들이 흥미를 느끼고 당신과 눈을 마주치는가? 청중 전체의 분위기는 어떤가? 사람들이 당신이 하는 말을 더 잘 듣기 위해 귀를 쫑긋 세우는가? 아니면 그렇게 하지 않는가? 그렇게 하지 않는다면 당신이 청중에게 그렇게 하도록 에너지를 불어넣어줄 수 있는가? 그들에게 이야기할 내용과 순서를 정해놓고 있더라도 이야기하는 방식을 수정하거나 도중에 잠시 멈추고 좀 더 자세히 설명해야 할 것을 그렇게 할 수도 있고, 필요하다면 이야기할 요점을 재검토할 수도 있다. 청중의 반응이 어떨지를 확실하게 예상하지 못하겠다면 생각해볼 수 있는 여러 가지 청중의 반응 각각에 대응해 당신이 하는 이야기의 내용이나 방식을 조정할 수 있도록 미리 계획을 세워두어라. 그리고 필요한 경우에 바로 활용할 수 있도록 여분의 이야깃거리나 예시할 것 등을 준비해두어라.

지나가는 김에 한마디 덧붙이겠다. 당신의 두 발은 연단의 바닥에 들러붙어 있지 않다(그 전에 당신에게 연단이 꼭 있어야 할까?) 당신은 이리저리 걸어 다닐 수 있다. 최소한 강연대 뒤에만 머물러 있지 않고 그 앞으로 나가 설 수는 있다. 당신이 편안하게 느끼는 정도와 그때그때의 상황에 따라 적절하게 당신 자신이 청중에게 집중하는 태도를 보여준다면 청중 사이에 훨씬 더 몰입하는 분위기가 형성될 수 있다.

풋말을 적극적으로 끼워 넣어라

논증을 글로 읽는 사람들은 논증의 내용을 선별해서 받아들일 수 있다. 논증글을 읽다가 잠시 멈추고 생각을 하거나, 앞으로 돌아가 되짚어보거나, 읽은 내용을 받아들이기를 완전히 포기하고 뭔가 다른 것을 찾아 나설 수 있다. 그러나 당신의 구두논증을 듣는 청중은 이런 일을 전혀 하지 못한다. 당신이 청중 모두를 위해 적절한 보조를 취해줘야 한다.

청중이 당신의 이야기를 잘 따라오는지에 신경을 써라. 대체로 보면 말로 하는 논증은 글로 하는 논증에 비해 '풋말 끼워 넣기'와 반복을 더 많이 해줘야 할 필요가 있다. 우선 첫 대목에서 당신이 펼치고자 하는 논증을 충분히 요약해줄 필요가 있다. 그런 다음에는 그렇게 요약해준 개요, 즉 규칙 36(논증의 개요를 잡아 제시하라)에서 '안내지도'라고 부른 것으로 주기적으로 되돌아가 맥락을 언급해줄 필요가 있다. 논증 전체를 요약할 때에는 "이것이 바로 저의 기본적인 논증입니다"라고 라벨을 붙이듯이 말하고, 하나의 전제에 대한 논증에서 다른 또 하나의 전제에 대한 논증으로 넘어갈 때에는 "이제 두 번째(또는 세 번째, 네 번째 등) 기본적인 전제를 살펴볼 때가 됐습니다"와 같이 말하라. 그리고 그 각각에 대해 요약을 해주어라. 단락이 바뀌는 지점에서는 잠시 멈추고 숨을 고르면서 그런 지점에 이르렀음을 청중에게 알리고 그들에게 생각해볼 시간을 주어라.

　나는 대학생 시절에 토론 훈련을 받을 때 나의 주요 주장들을 말 그대로 단어 하나하나까지 반복하라고 배웠다. 그렇다. 다시 말하지만 나의 주요 주장들을 말 그대로 단어 하나하나까지 반복하라는 것이었다. 그 이유는 주로 다른 사람들이 나의 주요 주장들을 노트에 받아쓸 수 있게 해야 한다는 데 있었다. 나는 지금도 교수로서 강의를 하면서 종종 그렇게 한다. 그렇게 하면 청중이 열심히 듣고 있음을 당신도 잘 알고 있음을 보여줄 수 있고, 당신이 이야기를 하다가 중요한 지점에서는 푯말을 세워 주의를 환기시키기를 청중이 원하거나 필요로 한다는 데 당신이 신경을 쓰고 있음을 보여줄 수도 있다. 어떤 상황에서는 이와 같이 하는 것이 어색하게 느껴질 수 있다. 그런 경우에 당신이 하는 이야기의 요점에 해당하는 부분을 단어 하나하나까지 반복하지는 않는다고 하더라도 그러한 부분에 적어도 어떤 방식으로든 표시를 해주고, 당신이 그렇게 하고 있다는 것과 왜 그렇게 하고 있는지를 분명하게 밝혀라.

　이야기의 단락이 바뀌는 곳 가운데 특히 중요한 곳에서는 청중의 분위기에 각별한 주의를 기울여라. 청중을 두루 살펴보면서 그들 가운데 대부분이 당신과 함께 앞으로 나아갈 준비를 갖췄는지를 확인하라. 이렇게 하면 당신은 청중과 더 잘 소통할 수 있게 되고, 당신이 하는 이야기를 그들이 받아들이고 있거나 이해하고 있는지를 당신이 실제로 살피고 있음을 보여줄 수 있다.

규칙 **43**

시각자료를 당신의 논증에 맞게 깎아내라

당신의 프레젠테이션에 도움이 되는 시각자료가 있을 수 있다. 어쩌면 당신의 논증이 상당히 복잡해서 청중의 이해를 돕기 위해 그것을 글로 써서 보여주는 것이 좋을 수도 있다. 그렇다면 논증의 개요를 글로 쓴 자료를 나눠주어라. 논증을 여러 부분으로 나누어 전개하려고 한다면 부분별로 시작할 때마다 슬라이드를 띄워서 해당 부분을 부각시킬 수 있다. 이는 푯말을 세우는 하나의 효과적인 방법이다. 또는 당신의 논증이 몇 장 안 되는 소수의 슬라이드만으로도 예시할 수 있는 특정한 종류의 데이터나 정보에 근거한 것일 수 있다. 어떤 경우에는 짧은 동영상을 이용해 논증의 주된 요점을 알리거나 다른 사람의 설득력 있는 관련 발언을 들려줄 수도 있다.

그러나 이런 시각자료는 가볍게만 활용하라. 당신 자신을 슬라이드를 읽어주는 사람으로 전락시켜서는 안 된다. 그런 일은 청중이 당신보다 더 잘 할 수 있고, 분명히 더 빠르게 할 것이다. 그런가 하면 다수의 시각적 프레젠테이션 프로그램에 들어있는 잡다한 부가기능은 나름대로 실행되는 과정에서 청중의 주의를 산만하게 한다. 그리고 파워포인트는 프레젠테이션의 표준적 도구로 오래전부터 사용돼왔지만 이제는 지극히 따분한 것으로 여겨진다(이러한 사실을 외면해서는 안 된다). 시각적 프레젠테이션 프로그램의 사용을 비판하는 사람들은 청중에게 전달하고자 하는 생각을 슬라이드 형식에 압축해 넣으면 그 내용이 과도하게 단순해진다고 지적하기도 한다. 슬라이드 속의 글은 일반적으로 매우 단편적이고, 그 속의 차트와 그래프도 자세한 내용은 별로 보여주지 못한다. 게다가 이러한 프로그램은 기술적인 문제를 불가피하게 일으키는데 프레젠테이션을 하는 도중에 그렇게 되면 청중의 주의가 산만해지고 때로는 프레젠테이션 자체를 완전히 망칠 수도 있다.

'깎아낸다'는 말은 무엇인가를 줄여서 꼭 알맞게 만든다는 것을 의미한다. 규칙 43에 이 말을 사용한 데는 분명한 의도가 있다. 당신의 논증이 가장 중요한 것임을 잊지 말라. 시각자료 사용은 당신의 논증에 알맞게 줄여라. 당신의 논증이 더욱 훌륭하게 전개되게 해주거나 청중이 당신의 논증에 더욱 몰입하게 해주는 전혀 다른 방법은 없는지도 살펴보라. 어떤 주제에 대해서는 청중에게 손을 들어 의견을 표시해달라고 요청하거나 미리 준비한 방법으로 청중의 참여를 체계적으로 끌어낼 수도 있을 것이다. 어떤 책이나 글에서 따온 간단한 구절을 읽어줄 수도 있다. 필요하다면 짧은 비디오, 그래프, 데이터 등을 스크린에 띄워 주어라. 그러나 이야기를 계속해서 진행하려면 그런 것들을 스크린에서 없앤 다음에 진행하라.

청중이 정보를 한눈에 볼 수 있도록 하려면 차라리 종이 인쇄물을 나눠주어라. 종이 인쇄물에 훨씬 더 많은 정보를 담을 수 있다. 거기에는 복잡한 이야기와 그림을 넣을 수 있을 뿐 아니라 그래프, 데이터, 참고문헌, 웹링크 등을 넉넉히 담을 수 있다. 청중이 원한다면 프레젠테이션을 시작하기 전이나 끝낸 뒤에 그들이 스스로 읽어보게 할 정보를 거기에 많이 포함시킬 수 있다. 준비한 인쇄물을 미리 나눠주고 나서 프레젠테이션을 시작할 수도 있고, 프레젠테이션을 하다가 도중에 그 인쇄물을 사용할 준비가 됐을 때 그것을 나눠줄 수도 있으며, 프레젠테이션을 끝낸 뒤에 그것을 나눠줄 수도 있다. 그리고 청중에게 그것을 집으로 가지고 가라고 권하는 것이 좋을 것이다.

규칙 44

멋있게 마무리하라

무엇보다 먼저 시간을 맞춰 끝내라. 당신이 몇 시간 몇 분 동안 이야기하게 돼있는지를 확인해보고 그 시간을 넘기지 말라. 강연자가 너무 오랫동안 이야기를 계속하는 것보다 더 청중을 짜증나게 하는 것이 없다는 사실을 당신도 경험을 통해 이미 알고 있을 것이다.

그렇다고 용두사미로 맥 빠지게 끝내서는 안 된다. 당신은 전등불을 끄듯이 끝내기를 원하지는 않을 것이다.

잘못된 예

자, 이제 저에게 허용된 시간이 거의 다 지난 것 같습니다. 제가 말씀드린 생각 중에 여러분에게 흥미로운 것이 무엇이든 있었다면, 제 강연은 여기서 마치고 우리가 그것에 대해 서로 이야기를 나눠보는 것이 어떨까요?

청중을 분발시키는 마감을 하라. 목소리를 높여 나름대로 멋있게 마무리하라.

잘된 예

이 강연에서 저는 진정한 행복은 결국은 손에 넣을 수 있으며 누구나 다 행복하게 될 수 있다는 메시지를 전해보려고 했습니다. 또 행복해지기 위해 특별한 행운이나 재산이 필요한 것이 아니며 행복의 전제조건은 우리 손이 닿는 곳에, 우리 주위의 모든 곳에 존재한다는 사실을 알려드리려고 했습니다. 여러분, 경청해주셔서 감사합니다. 물론 저는 여러분이 모두 다 최고로 행복해지기를 바랍니다.

10장

공개토론

공개토론은 어떤 주제에 대해 똑같이 관심을 갖고 있지만 관점은 크게 상이한 사람들이 모여 얼굴을 맞대고 하는 대화일 수 있다. 학교교실이나 마을회관에서 보다 큰 규모로, 즉 더 다양한 관점을 가진 더 많은 사람들이 모여서 하는 대화일 수도 있다. 공개토론장이나 텔레비전에서 우리가 종종 보는 정치토론의 일종일 수도 있다. 또는 앞의 8장에서 당신이 쓰는 연습을 했던 논증글과 비슷하되 좀 길게 쓴 글로 서로 논증을 주고받으며 보다 느리게 진행되는 대화일 수도 있다.

오늘날에는 우리가 이런 공개토론을 하는 태도가 점점 더 나빠지고 있다고 아마도 대부분의 사람들이 말할 것이다. 공개적인 논증, 그중에서도 특히 정치적인 논증은 목소리는 점점 더 높아지지만 합리성은 떨어지면서 건설적인 것이 되기보다 파괴적인 것이 되어간다고 사람들은 말한다. 나로서는 이런 생각이 전적으로 사실에 부합한다고 장담하기 어렵다. 우리가 과거를 실제 이상으로 미화하기 때문에 이런 생각을 하게 되는 것인지도 모른다. 그럼에도 불구하고 우리가 공개토론을 훨씬 더 잘할 수 있다는 것은 분명한 사실이다. 이 장에서는 그렇게 하는 데 도움이 될 만한 몇 가지 규칙을 다룬다.

당당하게 논증하라

다른 어떤 종류의 논증에서도 그래야겠지만 공개토론에서도 당신의 최선을 다하라. 공개토론은 특히 오늘날에는 쉬운 일이 아니다. 이해관계가 크게 걸리고, 공통된 견고한 토대를 발견하기가 어려워 보이며, 감정이 격해지곤 한다. 그렇지만 다른 한편으로 당신은 이렇게도 생각할 수 있다. 지금은 오랜만에 드디어 논증이 힘을 발휘할 수 있게 된 시대다. 이 책이 당신에게 논증의 규칙들을 제공하고 당신이 지금까지 그 규칙들을 솜씨 있게 사용할 능력을 길러온 이유가 바로 여기에 있다. 그러니 그 규칙들을 활용하라! 최선의 증거를 찾아라. 과도한 일반화를 하지 말라. 통계수치를 주의해서 다뤄라. 설득력이 있고 적절한 관련성이 있는 유비를 사용하라. 정보원천은 가장 믿을 만한 것만 사용하라. 반대견해를 자세히 말하고 그에 대응해보려고 노력하라. 그 밖의 다른 규칙들도 있다.

내가 권하는 것은 단순히 '소리 높여 주장하라'는 것이 아니다. 공개토론은 여론조사의 또 다른 종류가 아니다. 그리고 내가 이 책에서 처음부터 당신에게 알려주려고 노력해온 바와 같이 논증은 그 어떤 종류든 단지 일종의 다툼인 것이 아니다. 공개토론의 이상적인 모습은 같이 생각하는 과정이다. 항상 그렇게 하겠다는 마음으로 나서라. 당신이 진정으로 무언가를 기여할 수 있는 토론에 참여하라. 무엇이든 주장할 만한 가치가 있는 것을 가지고 시작하라. 진실한 증거와 생각을 가지고 참여해 그것을 공정하고 솜씨 있게 제시하는 능력을 발휘하라.

그리고 당신의 열정을 쏟아야 함은 물론이다. 많은 논증이 우리의 열정에서 생겨나는 동시에 바로 그 열정을 말로 표현하게 해주고 그 열정이 근거를 갖게 해준다. 고난을 극복해야 하는 시대에는 특히 더 그렇다. 주의해야 할 점은 열정은 그것만으로는 논증이 아니라는 것이다. 어떤 주장에 관해 누군가가 강한 열정을 갖고 있다고 해서 그런 사실만으로 우리가 그 주장을 믿어야 하는 충분한 이유가 되지는 않는다. 어떤 주장이 끈질기게 또는 큰 목소리로 제시된다고 해서 그것이 더 나은 주장이 되는 것은 아니다. 사실 누군가가 그런 식으로 주장을 계속하면 당신은 그 사람의 큰 목소리와 그 사람이 드러내는 격정이 오히려 증거의 결여를 가리기 위한 위장이 아닌가 하고 의심하기 시작할 것이다. 훌륭한 논증만이 거기에 내포된 열정을 정당화한다!

경청하고 배우면서 입지를 다져라

토론은 일종의 교환이다. 토론은 다른 입장을 가진 다른 사람들과 말을 주거니 받거니 하는 것인데, 이때 그 다른 사람들도 역시(이상적인 경우에는) 각자 나름대로 가능한 최선의 논증을 하려고 한다. 토론은 단지 당신 자신의 입장을 선언할 기회인 것만이 아니며, 다른 사람들이 그들의 입장을 선언할 기회인 것만도 아니다. 당신과 그들은 서로 상대방이 하는 말에 귀를 기울여야 할 필요가 있다.

잘못된 예

나는 고기 먹기를 포기한다는 것보다 더 어리석은 것을 생각해낼 수 없다. 사람들은 언제나 고기를 먹는다. 뿐만 아니라 우리의 이빨은 콩이나 씹어 먹기에 알맞게 돼있지 않다.

이와 아주 비슷한 말이 오가는 토론이 적지 않다. 이 예는 그러한 토론의 경향을 잘 보여주지만 토론을 시작하는 말로서는 완전히 잘못된 것이다. 많은 사람들이 갖고 있는 그와 같은 입장보다 더 어리석은 것을 생각해낼 수 없다고 진심으로 말하는 사람이라면(정말로 이런 사람이 있을까? 당신도 그러한 것을 하나도 더 생각해낼 수 없는가?) 그는 아마도 그런 입장 자체를 전혀 이해하지 못한 사람일 것이다. 그런 입장을 옹호하는 논증은 들여다보지도 않고 그런 입장 전체를 일축해버리고 있다는 사실을 가리기 위해 한 줄짜리 이유를 두어 개 들이대는 것(이빨의 능력이 운명이라고? 과연 그럴까?)은 현명하지 못한 태도이기도 하다.

좀 더 개방적인 접근을 해보려고 노력하라. 그러고 나서 당신 자신의 견해를 가지고 '돌아오라.' 다른 토론자들의 결론을 이해하는 것뿐만 아니라 그들의 전제와 그들의 근거를 이해하는 것도 당신이 해야 할 일이다. 그러니 그들의 논증을 귀 기울여 들어라. 이는 다른 사람들이 그들 자신의 견해를 말할 때까지 수동적으로 기다리는 것보다 더 많은 것을 요구하는 말이다. 당신은 그들의 근거가 무엇인지를 적극적으로 알아보고 그 근거가 그렇게 설득력이 있다고 그들이 생각하는 이유를 이해해야 할 필요가 있다.

잘된 예

나는 아직 우리가 고기 먹기를 포기해야 한다고 생각하는 사람들을 이해해보려고 하고 있다. 어떻게 해서 그들은 인류가 언제나 먹어온 유형의 음식을 포기해야 한다고까지 말할 수 있을까? 게다가 우리의 소화기관이 부분적으로는 고기를 소화할 수 있게 돼있지 않은가?

'잘못된 예'의 진술은 일종의 선언이자 일종의 일축이다. 그곳에서 출발해서는 갈 수 있는 곳이 전혀 없다. 적어도 곧바로 다툼으로 뛰어드는 것을 제외하고는 다른 길이 없다. 그러나 '잘된 예'의 진술은 두 개의 질문을 던지고 있다. 당신은 이 경우에도 납득하지는 못하고 있지만, 그래도 이번에는 다른 사람들의 논증을 이해해보고 싶다는 당신의 마음을 분명하게 알리는 동시에 당신 자신이 다시 생각해볼 수 있는 여지도 어느 정도 남기고 있다. 어쩌면 당신은 그들의 논증에 조금은 도움을 줄 수도 있을 것이다. 아무리 못해도 당신은 아마도 무엇인가를 배울 것이고, 어쨌든 당신은 당신의 차례가 왔을 때 당신 자신의 논증을 개진할 준비가 더 잘 돼있을 것이다.

나는 방금 '당신의 차례'라는 말을 했다. 그렇다. 짧게나마 말을 주고받은 이 토론은 아직은 결코 끝난 게 아니기 때문에 그런 말을 할 수 있는 것이다.

당신과 토론을 벌이는 사람들이 완전히 만족할 정도로 당신이 그들의 말을 적극적으로 들으면서 주의 깊게 질문도 던졌다고 가정하자. 당신은 그들의 논증을 이해하기 위해 열심히 노력했다. 그렇다면 이제는 그들에게 똑같이 주의 깊게, 시간을 들여, 적극적으로 당신의 말을 들어주기를 요구할 자격이 당신에게 있다. 당신은 어느 정도 유리한 입지를 갖게 된 것이다.

나와 함께 당신들의 논증을 탐구하는 데 시간을 할애해주신 데 대해 감사드립니다. 나는 내가 이미 많은 질문을 던졌다는 것을 알고 있습니다. 그리고 우리는 흥미로운 여러 답변에 대해 이야기했습니다. 나는 당신들의 논증에 대해 앞으로 좀 더 많이 생각해보려고 합니다. 이제는 내가 당신들에게 나의 논증을 설명하고 싶습니다. 우리가 토론을 이어가는 동안 질문도 해주시기를 부탁드립니다. 준비됐습니까?

이렇게 말하면 어떤 토론자들은 놀랄 것이고, 심지어는 난처해하는 토론자들도 있을 것이다. 이제까지는 그들과 그들의 논증이 전부였다. 공개토론에서(비슷한 경우라면 어느 곳에서든 마찬가지이긴 하겠지만) 자신이 하는 말이 그렇게 경청된다는 것은 흐뭇한 일이지만 드문 일이기도 하다. 그들은 당신이 그들의 논증을 그들과 함께 주의 깊게 검토했으니 이제 당신은 그들과 의견이 일치할 것이라고까지(물론 그럴 수도 있지만 반드시 그렇지는 않을 것이다) 생각할지도 모른다.

그런데 갑자기 그들은 말을 주고받는 과정이 단지 절반만 끝났음을 깨닫게 된다. 이제는 그들이 들어주어야 하며, 그것도 당신이 방금 본을 보인 개방적인 태도를 비슷하게라도 유지하며 그래야 하는 입장이다. 이런 입장이 되는 것은 많은 토론자들에게 하나의 새로운 경험일 수 있다. 그런데 그들은 그런 입장이 되기를 거부하기가 어렵다. 당신이 방금 그들이 하는 말을 그토록 주의 깊게, 그리고 적극적으로 들어주었는데 왜 그렇지 않겠는가? 그러니 이제는 당신이 하고 싶은 말을 해도 된다.

무언가 긍정적인 것을 제시하라

공개토론을 하다 보면 토론자들이 앞으로 나아가기에 좋은 길을 찾지 못해 꼼짝하지 못하게 되곤 한다. 이렇게 되는 이유는 부분적으로는 부정적인 것, 다시 말해 반대편이 하는 말 가운데 잘못된 것에만 서로가 너무 초점을 맞추는 데 있다. 더 나은 논증은 사람들에게 무언가 긍정할 만한 것, 다시 말해 무언가 호소력이 있고 긍정적인 것을 제시한다.

그러므로 앞으로 나아가기에 좋은 길에 관한 어떤 제안을 가지고 토론에 참여하라. 당신의 대안이나 입장을 보강해나갈 것이지 반대편의 그것을 무너뜨리려고만 하지 말라. 무언가 잘 대응하는 방법이나 해야 할 것을 제안할 일이지 무언가 저항하거나 회피하거나 개탄할 것만을 제안하지 말라. 무언가 해야 할 실제적인 것, 무언가 희구할 만한 것을 제시하고, 어떤 가능성의 느낌을 전달하라. 적어도 어떤 종류든 긍정적인 관점을 던져주는 것이 좋다.

잘못된 예

우리 시는 물을 아껴 써서 수자원을 보존하는 일에 형편없이 서투르다! 저수지들의 수위가 한 달분의 물만 공급할 수 있을 정도로 떨어진 상황에서도 우리는 물 소비를 25퍼센트밖에 줄이지 못했다. 그리고 사람들은 자동차를 물로 세차하거나 스프링클러를 계속 돌리기를 중단하는 것이 어떤 의미를 갖는지를 여전히 이해하지 못하고 있다.

아마도 그럴 것이다, 아마도……. 그러나 우리가 어떤 문제의 심각성에만 초점을 맞춘다면 사람들로 하여금 그 문제에 대해 할 수 있는 일이 아무것도 없다고 느끼게 만들 위험도 무릅써야 한다. 같은 쟁점을 제기하더라도 사람들로 하여금 뭔가를 할 수 있다고 좀 더 많이 느끼게 하는 방식으로 제기할 수는 없을까?

잘된 예

우리 시는 물을 좀 더 아껴 써서 수자원을 보존할 수 있고, 또 그렇게 해야 한다. 우리는 지금까지 물 소비를 25퍼센트 줄일 수 있었다. 그러나 저수지들의 수위가 한 달분의 물만 공급할 수 있을 정도로 떨어졌음을 고려하면 모두가 자동차를 물로 세차하거나 스프링클러를 계속 돌리기를 중단해야 할 필요성에 실제로 주목하기 시작해야 한다.

앞의 예와 비교해보면 이 예는 똑같은 사실들을 비슷한 문구와 문장으로 진술하고 있다. 그러나 전반적인 느낌은 분명히 다르다.

요점은 무턱대고 낙관해야 한다는 것이 아니다. 우리는 부정적인 측면을 무시해서는 안 된다. 그러나 상황을 부정적인 측면만으로 그려내면 그것만이 현실인 것처럼 보이게 된다. 더 많이 그렇게 할수록 우리는 더 많이 부정적인 측면에 사로잡히게 되고, 그것에 저항하기를 원하더라도 우리의 에너지와 관심이 그것에만 집중된다.

마틴 루터 킹의 '나에게는 꿈이 있습니다'라는 상징적인 연설은 설득력을 갖고 있는데, 그 이유의 일부는 그것이 어쨌든 꿈에 관한, 다시 말해 모두가 공유하는 정의로운 미래에 대한 비전에 관한 연설이라는 데 있다. "나에게는 과거 노예의 자손과 과거 노예소유주의 자손이 형제로서 한 식탁에 같이 앉을 수 있게 되리라는 꿈이 있습니다." 킹이 이렇게 이야기하지 않고 그 대신 악몽만을 이야기했다고 상상해보라. "나에게는 과거 노예의 자손과 과거 노예소유주의 자손이 결코 형제로서 한 식탁에 같이 앉을 수 없을 것이라는 악몽이 있습니다." 어떻게 보면 이것은 앞의 경우와 정확히 똑같은 생각을 달리 표현한 것이다. 그러나 만약 킹이 이런 식으로 이야기했다면 과연 그의 위대한 연설이 오늘날까지 생명력을 유지했을까?

공개토론에서만이 아니라 모든 논증에서 우리는 무언가 긍정적인 것을 제시하려고 노력해야 한다. 그러나 다시 말하지만 공개토론에는 특별한 기운이 있고 종종 절박성도 있다. 이런 이유에서 나는 '무언가 긍정적인 것을 제시하라'는 규칙을 이 장에 포함시킨 것이다. 한 집단의 낙관주의와 고무된 태도는 다른 집단으로 전염될 수 있다. 우울감과 무력감도 그렇지만 낙관주의와 고무된 태도도 나름대로 하나의 힘이 될 수 있다. 당신은 어느 쪽의 힘을 만들어내기를 선택하겠는가?

공감영역에서 길을 찾아라

공개토론은 흔히 입장의 양극화로 틀이 잡히곤 한다. 그러나 사실 그러한 토론에서 당파적인 사람들의 대다수도 보다 깊이 생각하고 신중하게 말할 때에는 실제로 '중간'의 견해를 피력한다. 이를테면 총기를 완전히 없애거나 석유채굴을 모두 종식시켜야 한다고 진심으로 생각하는 사람은 거의 없다. 반대로 총기나 석유채굴을 전혀 규제하지 않고 그냥 방치해야 한다고 생각하는 사람도 마찬가지로 거의 없다. 낙태에 대한 토론은 끝날 줄 모르고 계속 이어지고 있기도 하지만 찬반의 양론이 극단적으로 나뉘어 맞서고 있기도 하다. 그런데 이런 토론에서도 낙태 지지론자의 대다수가 낙태에 대한 어떤 규제들에 대해서는 수용하고 심지어는 지지한다는 태도를 보이고, 낙태 반대론자의 대다수가 어떤 상황에서는 낙태를 기꺼이 수용한다는 태도를 보인다.

　당신은 이런 종류의 공감영역을 찾아야 한다. 당신이 도로를 오가는 자동차의 범퍼에 붙어 있는 스티커의 구호와 같이 겉으로 드러난 단순하고 고집스러운 입장만 만나게 되리라고 예상한다면 실제로 그러한 입장을 만나게 될 뿐 아니라 그러한 입장이 당신이 만나게 되는 입장의 전부이기도 할 것이다. 매우 강경한 입장들이 서로 비슷하면서 미묘한 차이를 보이기도 하고 서로 다르면서 그 중간에 다른 견해가 있을 수도 있는데, 그러한 미묘한 차이나 다른 견해는 뒷전으로 밀려난다. 중간의 견해를 내세웠던 사람들도 어쨌든 주목받기 위해서는 극단의 견해로 이끌리는 압력을 받는 느낌이 들 수 있다.

중간의 견해를 살펴보고 견해들이 서로 겹치는 영역을 찾아본다면 의견불일치가 여전히 엄연하게 존재하더라도 그런 의견불일치를 해소해볼 가능성이 생겨나고 되고, 심지어는 의견불일치 그 자체에서 생산적인 토론의 잠재력을 발견하게 될 수도 있다.

우리는 기후변화의 원인에 대해 여전히 견해를 달리하고 있는 것으로 보인다. 그러나 기후변화의 대부분이 자연과정에 기인하든 인간활동에 기인하든 우리는 보다 지능화된 건축과 비상계획을 통해 기후변화에 대응할 필요가 있는 것이 분명하다. 바다의 수위가 올라가고 있다. 우리는 원인이야 어떻든 간에 함께 힘을 모아 이러한 새로운 도전과제에 대응해나가야 하지 않겠는가?

의견불일치가 정말로 심각할 때에도 서로 상대방으로 하여금 생각을 완전히 바꾸게 하려고 노력하는 것보다는 모종의 절충을 이루기 위해 노력하는 것이 훨씬 더 도움이 된다. 당신이 동물의 권리에 대해 온종일 토론할 수도 있겠지만, 찬반의 두 집단(사실상 모든 집단)에 속하는 대부분의 사람들은 적어도 우리가 고기를 덜 먹으면 더 건강하게 잘 살 수 있을 것이라는 데 아마도 동의할 것이다. 낙태에 대한 반대론자와 찬성론자라는 두 진영도 실제로는 서로 동의하는 영역을 폭넓게 가지고 있고, 이미 그동안 예컨대 우선은 낙태 시술에 대한 수요를 줄이기 위해 협력하기까지 했다.♠ 이런 문제들에 대한 의견불일치가 남아있는 것은 틀림없는 사실이지만, 그러한 의견불일치만이 전면에 온통 부각되거나 거기에 우리의 모든 에너지를 소모할 필요는 없다. 함께 앞으로 나아가게 해줄 현명한 길들이 있다.

더구나 사람들의 실제 입장은 일반적으로 복잡하고, 그러면서도 분명히 흥미롭기도 하다. 우리가 동의하지 않는 입장의

♠ '공감영역 탐색(Search for Common Ground)'이라는 국제 시민단체의 프로젝트 가운데 하나인 '생명과 선택을 위한 공감영역 연대(Common Ground Network for Life and Choice)'가 어떠한 것인지를 구글로 검색해 살펴보라. '공감영역 탐색'이 펼치고 있는 그 밖의 다른 여러 가지 프로젝트도 한 번씩 살펴볼 만한 가치가 있다. 이와 관련된 학문적 논의를 알아보려면 다음 책을 참고하라. Robin West, Justin Murray, and Meredith Esser (editors), In Search of Common Ground: From Culture War to Reproductive Justice (Ashgate, 2014).

경우에도 그렇다. 총기소유 지지자들은 총기소유가 불법화되면 시민들이 폭정에 무방비상태가 된다는 점을 정당하게 염려하며, 다른 한편으로 총기소유 반대자들은 총기가 도처에 만연하면 안전이 위협받을 수 있다는 점을 정당하게 염려한다. 그런데 실제의 증거는 흔히 그렇듯이 이 문제가 복잡한 것임을 알려준다. 예를 들어 캐나다를 비롯한 많은 나라들이 어떤 종류의 폭정도 없지만 총기소유를 엄격하게 규제한다. 그런가 하면 미국은 전쟁에 가장 많이 시달리는 나라들을 포함한 거의 모든 다른 나라에 비해 인구 대비 총기소유 비율이 훨씬 높은 나라인데, 총기사고로 인한 사망자 통계를 보면 사망자 수 자체는 아직 곤혹스러울 정도로 많지만 사망자 비율은 비교적 낮은 편이다. 이와 같은 사실을 진지하게 들여다보려는 노력이 총기소유를 둘러싼 토론을 그동안의 모습과 아주 다른 것으로 전환시킬 수도 있을 것이다.

그렇게 한다고 해도 여전히 반복해서 끈질기게, 그리고 심지어는 과격하게 반대하지 않고서는 그 어떤 변화도 가능해 보이지 않는 경우들을 만나게 될 것이다. 그럴 때에는 그렇게 하라. 그러나 모든 토론이 그러한 싸움이어야 한다는, 다시 말해 모든 논증이 다른 편의 왜곡된 심술이나 무식을 깨부수기 위한 공성퇴 같은 무기여야 한다는 생각은 경계해야 한다. 그들이 먼저 당신에게 어떤 태도로 접근해오든 간에 당신은 마치 그들과 같은 편에 서있는 동시에 공동의 문제를 함께 다루어야 할 필요성을 느끼고 있다는 듯한 태도로 무언가 보다 협력적인 것을 그들에게 권하라. 그리고 그들이 그것을 받아들일 때까지 그것을 고수하라. 그러면서 어떤 일이 일어나는지를 보라.

이런 접근방법은 예컨대 청중 앞에서 이루어지는 토론과 같은 보다 공식적인 공개토론에도 이용될 수 있다. 공개토론을 설계할 때에 두 사람이 서로 맞서게 하는 방식으로는 물론이고 두 논증이 서로 맞서게 하는 방식으로도 그 틀을 잡지 말고, 어떤 하나의 쟁점을 둘러싼 여러 논증들을 같이 탐구하는 공론의 광장(포럼)이 실현되도록 하라. 그리고 셋 이상이 참여하도록 하라!

적어도 예의는 지켜라

다른 토론자를 조롱하거나 공격하지 말라. 그러는 것은 자기 이름까지 가지고 있는 일종의 오류다. 그 이름은 '사람을 공격하는 오류'다(부록 1을 보라). 당신이 상대하는 토론자에게 반드시 동의해야 하는 것이 아님은 물론이고 그를 좋아해야 하는 것도 아니다. 당신이 진지하게 받아들이기 어려운 말을 상대편 토론자가 할 수도 있다. 그래서 당신이 그에게 호의적이지 않은 태도를 취하면 그도 덩달아 당신에게 호의적이지 않은 태도를 취할 수 있다. 그렇더라도 당신은 여전히 어느 정도의 예의는 지킬 수 있다. 물론 그도 그럴 수 있다. 어떤 측면에서는 이런 것이 바로 예의 바름이 뜻하는 것이다.

토론의 상대편이 제시하는 논증에 주의를 기울여라. 그리고 그 상대편의 입장을 공정하게 정리해 말하라. 규칙 5를 지켜 뼈가 들어 있는 말을 피하면서 실질적인 근거를 대고 어감에 기대지 말라. 당신이 나중에 토론을 마무리할 때에 상대편 토론자의 결론이나 전제를 통째로 거부하게 되더라도 일단은 그가 검토해볼 만한 가치가 있는 전제를 가지고 있음을 당신도 알고 있음을 분명하게 밝혀라.

잘못된 예

상대편 토론자의 논증은 수백 년에 걸쳐 이어져 내려온 비자유주의 관념의 냄새를 풍기며, 그 원류는 지도층의 독재를 옹호한 플라톤의 자기합리화로까지 거슬러 올라간다. 이미 신뢰를 잃고 기각된 그러한 정치적 선전을 오늘의 공개토론에 끌고 온 것에 대해 그는 부끄러움을 느껴야 할 것이다.

잘된 예

상대편 토론자의 논증은 보수적인 정치적 사고의 오랜 전통을 대변하는 것이며, 그 원류는 민주주의에 대한 고대 아테네 철학자 플라톤의 불신으로까지 거슬러 올라간다. 플라톤이 나름대로 근거를 갖고 있었음을 물론이다. 그러나 그의 생각이 옳았는지, 그리고 그의 근거가 오늘날에도 적용되는지는 전혀 다른 문제다.

우리가 지금 이야기하는 것은 최소주의적인 종류의 윤리에 관한 일이라고 생각하자. 좋은 일이든 나쁜 일이든 당신과 토론하는 상대편은 그가 누구든 그래도 당신이 속한 사회의 일원이고, 어쨌든 당신이 더불어 살아가야 하는 사람이며, 게다가 절대적인 무뢰한이나 미친놈은 아마도 아닐 것이다. 우리는 어떤 만화 속 인물과 토론하는 것이 아니라 살아있는 사람과 토론하는 것이다. 우리 모두는 복잡하고 끊임없이 변화하는 이 세상을 이해하려고 노력하며, 그럼에도 불구하고 이 세상은 우리 가운데 어느 누구도 완전하게 이해하지 못한다. 그리고 우리 모두는 다른 어떤 수단보다도 우리의 논증을 이용해 이 세상의 무엇이든 더 나은 것으로, 적어도 우리가 보기에 더 나은 것으로 만들어보려고 노력한다. 자기주장만 늘어놓는 사람이나 가장 옹졸한 사람에 대해서도 아무리 그가 우리의 눈에 덜 떨어진 것처럼 보이더라도 적어도 위와 같은 이유에서 우리는 예의를 지켜야 한다.

그리고 물론 마찬가지로 우리는 다른 사람들이 우리 자신에게 예의를 지키기를 바란다. 우리의 생각에 동의하지 않는 사람들도 그렇게 하기를, 그리고 놀랍게도 우리를 자기주장만 늘어놓거나 가장 옹졸한 사람들로 분류하는 사람들도 역시 그렇게 하기를 우리는 바란다. 그렇게 된다면 순전히 실용적인 관점에서 보면 예의를 지키는 것이 규칙 46(경청하고 배우면서 입지를 다져라)에서 본 대로 우리에게 어느 정도 유리한 입지를 가져다준다. 우리가 다른 사람에게 예의를 지킨다면 우리는 그에게 똑같이 우리에게 예의를 지켜달라고 요구할 보다 분명한 권리를 갖게 된다. 당신이 예의를 지키지 않을 때보다 지킬 때에 다른 사람으로 하여금 당신에게 예의를 지키게 할 수 있게 될 가능성이 높을 것이 틀림없다!

자신의 입장이 왜곡당하거나 깔아뭉개진다는 느낌을 갖게 되는 경우에는 때로 우리가 합리적으로 생각하기조차 어렵게 된다. 그런 경우에 당신은 자신이 말할 차례가 왔을 때 자신이 상대편에게 그리 관용적이지 않음을 느낀다. 그런데 상대편도 당신과 똑같이 느낀다는 점을 상기하라. 예의바름은 모든 사람의 더 나은 자아에 호소력을 발휘한다.

뿐만 아니라 어쩌면(단지 어쩌면일 뿐이긴 하지만) 상대편의 생각이 완전히 틀린 것이 아닐 수도 있다. 불확실하고 복잡한 세계에서는 '모든 것을 종합해 판단'하는 데 여러 가지 방식이 있을 수 있다. 실제로 많은 사람들이 우리의 방식과 매우 다른 방식으로 그렇게 한다. 우리가 그들로부터 배울 점이 있을 수도 있으며, 적어도 배울 점은 배우겠다는 겸손한 태도가 바람직하다. 이런 경우의 예의바름은 일종의 솔직한 겸손이다.

당신은 다른 사람들이 당장에 예의바르게 되리라는 생각은 들지 않는가? 나도 역시 그런 생각은 들지 않는다. 내가 예의를 지키면 다른 사람들도 나에게 예의를 지킬 것으로 우리는 기대할 수 있지만, 다른 사람들은 그러지 않을 수도 있다. 그러나 다시 말하지만 그런 것에 개의치 말고 먼저 치고 나가는 것이 예의바른 토론자가 취해야 할 태도다. 솔선수범의 자세를 보여라. 당신이 먼저 예의를 지켜라. 당신의 관용적인 태도는 아마도 전염될 것이며, 다른 사람들로 하여금 그들 자신의 토론하는 방식을 바꾸게 하는 모범이 될 것이다. 어쨌든 당신은 그렇게 함으로써 보다 넓은 범위의 사회 속에서 사람들 사이에 지켜지는 예의의 수준을 한 단계 끌어올리게 될 것이다. 비록 그렇게 해서 수준이 높아진 예의가 당신에게 돌아오려면 먼 길을 거쳐야 할는지는 모르지만.

생각해볼 시간을 주어라

이 세상에서 가장 뛰어난 논증도 어떤 토론의 단지 일부분일 뿐이며, 그것도 아마 아주 작은 일부분일 것이다. 우리가 토론을 하는 것을 그치지 않는 이유는 우리가 하는 토론이 연관된 측면을 많이 가지고 있을 뿐만 아니라 불확실하거나 논쟁의 여지가 있거나 자기모순을 내포하면서 다양한 결론을 가능하게 하는 많은 사실과 주장을 이용한다는 데 있다. 예를 들어 철학자들은 몇 천 년 동안 행복에 대해 토론을 해왔다. 그렇게 해서 우리가 진전을 이룬 것은 틀림없지만 단순하게 다른 논증들을 '이겼다'고 할 수 있는 논증은 전혀 없으며, 그런 논증이 있어야 하는 것도 물론 아니다.

논증 하나하나가 차이를 만들어낼 수 있지만 어느 하나의 논증이 모든 차이를 다 만들어내는 일은 거의 없을 것이고, 이는 그 하나의 논증이 완전하게 옳다고 해도 그렇다. 논증 하나하나 또는 논증하는 사람 하나하나는 하나의 토론이 가진 여러 측면 가운데 어느 하나를 다룬다고 볼 수 있고, 그렇게 하면서 어떤 다른 논증을 수정하고 개선하면서 뭔가 다른 측면이나 새로운 생각을 받아들인다. 그리고 그러는 과정에서 논증과 논증하는 사람 둘 다가 변화하면서 앞으로 나아간다. 그러나 토론 그 자체는 마치 바다에서 큰 배가 방향을 돌리는 경우와 마찬가지로 보통은 천천히 움직인다.

여기에서 요점은 공개토론에는 인내가 필요하다는 것이다. 큰 배는 우리가 그 갑판 위에서 아무리 열심히 또는 설득력 있게 방향을 돌려야 한다는 말을 쏟아낸다고 해도 천천히 방향을 돌릴 것이다. 게다가 움직여져야 하는 것은 토론 전체인데 그것은 모든 방면에서 펼쳐지는 특수한 논증들의 뒤범벅을 동반하며 움직인다. 따라서 사람들은 자신의 견해 가운데 어떤 일부에 반대되는 내용의 논증 가운데 아직 반박되지 않은 것들은 인정하고 받아들이더라도 가장 커다란 주제들에 대해서는 자신의 생각을 바꾸지 않을 수도 있다. 그래서 이 세계가 여전히 기존의 방식이 더 사리에 맞음을 입증하는 것처럼 보일 수 있다. 당신이나 나는 우리 자신이 선호하는 견해 가운데 일부에 반대되지만 더 나은 논증이 (솔직히 말하면) 있을 때에도 그 선호하는 견해를 계속 고집하곤 한다는 점에서 비합리적일 수 있는데, 다른 사람들이라고 해서 그런 당신이나 나에 비해 조금이라도 더 비합리적이지는 않을 것이다. 변화가 일어나는 데는 시간이 걸릴 뿐 아니라 일반적으로 어떤 보다 매력적인 포괄적 견해가 필요하다.

그러니 당신의 논증이 아무리 훌륭하다고 하더라도 당신이 당신의 논증을 충분히 다 개진하고 나면 곧바로 대부분의 사람들이 하나같이 당신의 견해에 동의하리라고 기대하지 말라. 그러는 대신에 그들이 열린 마음으로 당신의 견해를 검토해주기만을 요청하라. 그들이 스스로 변화하기를 기꺼이 고려하기를 기대하라. 그리고 다시 말하지만 당신이 스스로 변화하기를 기꺼이 고려하는 모습을 보여주는 것이 그들로 하여금 스스로 변화하도록 하는 데 당신이 가장 크게 성공할 수 있는 방법이다. 강력하게 밀어붙이려고만 하는 태도는 사람들을 경직된 사고로 더욱 몰아가는 유형의 불쾌하고 판에 박힌 '논증'만 난무하게 할 수 있다.

토론은 공적 담론에 참여하는 유일한 방법이 아님은 물론이고 언제나 최선의 방법인 것도 아니다. 열정적인 호소가 더 들어맞을 때도 아마 있을 것이고, 개인적인 증언이나 설교가 그럴 때도 있을 것이다. 뿐만 아니라 자기가 의도가 담긴 말이나 의심스러운 정보원천 같은 것을 사용한다는 사실을 스스로 알면서도 그런 것을 동원해 나쁜 논증을 하려는 충동을 강하게 느낄 때도 있을 수 있다. 특히 상대편이 으레 그렇게 하는 비열한 자세를 취하는 것처럼 보일 때에 그렇다. 그것이 휩쓸리기 쉬운 충동인 것은 맞다. 그러나 나는 이에 대해 두 가지 경고를 하는 것으로 이 장을 마무리하고자 한다.

첫째로, 장기적으로 보면 나쁜 논증을 하는 것은 일반적으로 좋은 논증(주의 깊은 사고)의 가치를 깎아내린다. 이것이 우리의 사회에 좋은 일일 수는 없다. 때로는 당신의 상대편이 분명한 사고를 하지 않고 사려 깊은 태도를 지키지 않아서 그런 사고를 하고 그런 태도를 지켜야 하는 부담이 당신에게 돌아갈 수 있다. 이럴 때에도 장기적으로 보면 좋은 논증을 옹호하는 것이 진정으로 승리하는 유일한 길이다.

둘째로, 상대편이 으레 위와 같은 비열한 자세를 실제로 취한다면 솔직히 말해 그렇게 하는 데는 아마도 그들이 당신보다 훨씬 더 능숙할 것이다. 그들은 그렇게 하는 연습이 훨씬 더 잘돼있을 것이고, 자금의 뒷받침도 훨씬 더 넉넉할 것이며, 그렇게 한 뒤에 남는 양심의 가책도 훨씬 적을 것이다. 그러니 그것은 당신이 이길 수 있는 게임이 아니다. 당신은 그 대신에 당신의 강점을 살리는 데 주력하라. 당신은 이제 이 책을 읽고 그 내용을 습득해서 자기의 것으로 만들었으니 논증을 당당하게 하라. 이렇게 당신의 강점을 살리는 것은 해야 할 올바른 일을 하는 것이기도 하다.

그러므로 좋은 논증을 가능한 한 공개적이고 사려 깊은 태도로 제기하라. 무언가 긍정적인 것을 제시하라. 상대편이 하는 이야기를 충분히 다 듣고 나서 최선을 다해 대응하고 소통하라. 그러면서 토론은 계속될 것이라는 점을 의식하라. 인생은 짧고 토론은 길다. 공적 담론의 안에든 밖에든 토론 말고도 해야 할 가치 있고 건설적인 일들이 많이 있다. 어떤 시점에는 당신이 한 발짝 물러설 필요가 있을 것이다. 당신 없이 스스로 생각해볼 시간을 그들에게 주어라!

부록 1

흔히 저질러지는
오류

오류(fallacy)는 오해를 초래하는 유형의 논증이다. 그 가운데 다수가 사람들을 유혹하는 힘을 갖고 있고 그래서 실제로 너무나 흔하게 저질러지기 때문에 나름의 고유한 명칭까지 얻었다. 그래서 오류가 별도의 새로운 주제가 될 수 있는 것처럼 보이기도 한다. 그러나 실제로 어떤 것을 '오류'라고 부르는 것은 대개는 그것이 '좋은 논증을 위한 규칙들 가운데 하나를 위반했다'는 것을 다르게 말하는 방식에 불과하다. 예를 들어 '잘못된 원인의 오류'는 원인에 관한 결론 가운데 의심할 여지가 많은 것을 가리키며, 이런 오류에 대한 설명은 5장에서 제시됐다.

여기에서는 고전적인 오류들 가운데 일부를 간단한 목록으로 열거하면서 그 각각에 대해 설명하겠다. 오류의 라틴어 명칭은 자주 사용되는 것 위주로 소개하겠다.

◆ **사람을 공격하는 오류**(*ad hominem; to the man*): 정보원천으로

제시된 사람의 자격이나 신뢰성, 또는 그 사람이 실제로 제시한 논증을 공격하지 않고 그 사람을 공격하는 것. 권위자로 알려진 사람이라도 관련 정보를 제대로 알고 있지 않거나, 공정하지 않거나, 폭넓은 동의를 얻고 있지 못하다면 정보원천으로서의 자격을 잃을 수 있다는 점에 대해서는 4장에서 설명했다. 그러나 권위자로 알려진 사람에 대한 그 밖의 다른 종류의 공격은 대개 타당하지 않다.

칼 세이건이 화성에 생명체가 존재할 가능성을 옹호하는 것은 놀랄 일이 아니다. 어쨌든 그는 무신론자로 널리 알려진 사람이 아닌가. 나는 화성에 생명체가 존재할 가능성을 조금도 믿지 않는다.

세이건이 종교와 과학에 관한 공개토론에 참여한 적이 실제로 있다고 하더라도 종교에 대한 그의 견해가 화성에 생명체가 존재할 가능성에 대한 그의 과학적인 판단에 덧칠을 할 것이라고 생각해야 할 이유는 전혀 없다. '사람'을 보지 말고 그 사람이 하는 논증을 보라.

◆ **무지에 호소하는 오류**(*ad ignorantiam; appeal to ignorance*): 어떤 주장이 거짓임이 증명된 적이 없다는 이유만으로 그 주장을 참이라고 논증하는 것. 이 오류의 고전적인 예로 미국의 상원의원 조지프 매카시의 진술을 들 수 있다. 그는 자신이 특정인

을 공산주의자라고 비난한 데 대한 증거를 요구받게 되자 다음과 같이 말했다.

나는 그 사람이 공산주의자들과 연관돼 있음을 부정하는 증거가 될 만한 어떤 것도 서류로 갖고 있지 않다는 정보기관의 일반적인 진술 말고는 이 문제에 관한 다른 정보를 별로 갖고 있지 않습니다.

물론 그 사람이 공산주의자들과 연관돼 있음을 증명해줄 만한 것도 전혀 없었던 것이 분명하다.

◈ **동정심에 호소하는 오류**(*ad misericordiam; appeal to pity*): 동정심에 호소해서 특별한 취급을 해달라고 요구하는 것.

제가 모든 시험에서 낙제점을 받았다는 것을 압니다. 하지만 이 과목을 통과하지 못한다면 나는 여름학기에 이 과목을 다시 수강해야 합니다. 그러니 제발 나를 통과시켜 주십시오!

동정심이 때로는 도움을 베푸는 데 좋은 근거가 된다. 그러나 객관적인 평가가 요구되는 상황에서 동정심에 호소하는 것은 틀림없이 부적절하다.

◈ **군중에 호소하는 오류**(*ad populum*): 군중의 감정에 호소하는

것. 어떤 사람에게 군중이 하는 대로 따라 하라고 호소하는 것 ("모든 사람이 다 그렇게 하지 않는가!")도 이 오류에 속한다. 이 오류는 권위에 근거한 논증을 잘못 한 경우의 좋은 예다. '모든 사람'이 관련 정보를 알고 있는 정보원천이거나 신뢰할 만한 정보원천임을 증명해줄 근거는 결코 제시될 수 없을 것이다.

◆ **후건을 긍정하는 오류**(*affirming the consequent*): 다음과 같은 형식의 연역상 오류.

p라면 q다.

q다.

따라서 p다.

'p라면 q다'라는 진술에서 p는 전건(antecedent), q는 후건 (consequent)으로 불린다는 점을 상기하라. 타당한 논증인 '전건을 긍정하는 형식(modus ponens)'에서는 두 번째 전제가 전건인 p를 긍정(주장)한다(규칙 22로 돌아가 확인해보라). 하지만 후건을 긍정하는 것은 완전히 다른 형식이며, 타당하지 않은 형식이다. 이 경우에는 전제들이 참이라고 해도 결론의 참이 보장되지 않는다. 예를 들어보자.

길이 얼면 우편배달이 늦어진다.

우편배달이 늦는다.

따라서 길이 얼어있다.

   길이 얼면 우편배달이 늦어질 것이다. 그렇지만 우편배달은 다른 이유로도 늦어질 수 있다. 이 논증은 다른 가능성을 간과하고 있다.

◈ **논점을 회피하는 오류, 또는 선결문제를 요구하는 오류** (*begging the question*, **라틴어로는** *petitio principii*): 결론을 암암리에 전제로 사용하는 것.

   내가 알기로 신이 썼기 때문에 진리인 성경에 신이 존재한다고 쓰여 있으므로 신은 존재한다.

   이 논증을 전제와 결론의 형식으로 다시 써보면 다음과 같이 될 것이다.

   신이 성경을 썼기 때문에 성경은 진리다.

   성경에 신은 존재한다고 쓰여 있다.

   따라서 신은 존재한다.

   여기서 논증자는 성경이 진리라는 주장을 옹호하기 위해 신이 성경을 썼다고 주장한다. 그러나 신이 성경을 썼다면 신이 존재한다는 것은 이미 당연하다. 따라서 이 논증은 증명하고자 하는 바로 그것을 가정하고 있다.

◆ **순환논증의 오류**(*circular argument*): 논점을 회피하는 오류와 같다.

그 방송사의 뉴스는 사실로 믿을 수 있다. 왜냐하면 그 방송사의 모토는 "우리는 시청자들에게 사실만을 전달한다"이고, 따라서 그 방송사의 뉴스는 틀림없이 사실일 것이기 때문이다.

우리가 실제로 만나게 되는 순환논증은 좀 더 큰 원을 그리는 논증인 경우가 많다. 그러나 그러한 것들도 모두 도달하고자 하는 목적지에 도달하고 나면 바로 거기에서 다시 출발해야 하는 상태가 되고 만다.

◆ **복합질문의 오류**(*complex question*): 주장하고자 하는 어떤 다른 것을 받아들이지 않고서는 지금 주장하는 것에 찬성하거나 반대하지 못하게 하는 방식으로 질문을 던지는 것. 간단한 예로 "당신은 예전처럼 여전히 자기중심적입니까?"라는 질문을 들 수 있다. "예"라고 대답하든 "아니요"라고 대답하든 당신은 그동안 자기중심적이었음을 인정해야 한다. 좀 더 미묘

한 예로 "당신은 주머니 사정에 따라서가 아니라 당신의 양심에 따라서 이 대의에 기부를 하실 겁니까?"라는 질문을 생각해보자. "아니요"라고 대답하는 사람은 기부를 하지 않는 진정한이유가 무엇이든 죄의식을 느끼게 된다. 반면에 "예"라고 대답하는 사람은 기부를 하는 진정한 이유가 무엇이든 자신이 고결하다고 느끼게 된다. 당신이 기부를 받기를 원한다면 오직 기부만을 요구하라.

◆ **전건을 부정하는 오류**(*denying the antecedent*): 다음과 같은 형식의 연역상 오류.

p라면 q다.
p가 아니다.
따라서 q가 아니다.

'p라면 q다'라는 진술에서 p는 전건, q는 후건으로 불린다는 점을 상기하라. 타당한 논증인 '후건을 부정하는 형식(modus tollens)'에서는 두 번째로 제시되는 전제가 후건 q를 부정한다(규칙 23으로 돌아가 확인해보라). 그러나 전건 p를 부정하는 것은 완전히 다른 형식이며, 타당하지 않은 형식이다. 이 경우에는 전제들이 참이더라도 결론이 참임이 보장되지 않는다. 예를 들어보자.

길이 얼면 우편배달이 늦어진다.

길은 얼지 않았다.

따라서 우편배달은 늦어지지 않을 것이다.

물론 길이 얼었다면 우편배달이 늦어지겠지만, 다른 이유로 우편배달이 늦어질 수도 있다. 이 논증은 다른 가능성을 간과하고 있다.

◆ **말을 얼버무려 사용하는 오류**(*equivocation*): 논증을 하는 도중에 한 용어를 이런 의미에서 저런 의미로 슬그머니 바꾸어 사용하는 것.

여성과 남성은 신체적으로나 감정적으로나 서로 다르다. 그렇다면 여성과 남성은 '동등(equal)'하지 않다. 그러므로 법은 여성과 남성이 '동등'하다고 가정하지 말아야 한다.

이 논증은 '동등'이라는 용어를 전제와 결론에서 다른 의미로 사용하고 있다. 동등이라는 말이 단지 '똑같음'만을 의미한다면 여성과 남성은 신체적으로나 감정적으로나 '동등'하지 않을 것이다. 그러나 법 앞의 '동등'은 '신체적으로나 감정적으로나 똑같다'는 의미가 아니라 '똑같은 권리와 기회를 누릴 자격이 있다'는 의미다. 서로 다른 이 두 가지 의미의 '동등'을 분명하게 구별해서 다시 써보면 다음과 같이 된다.

여성과 남성은 신체적으로나 감정적으로나 똑같지 않다. 따라서 여성과 남성은 똑같은 권리와 기회를 누릴 자격을 갖고 있지 않다.

'동등'이라는 용어의 얼버무림을 제거하고 보니 논증의 결론이 전제에 의해 뒷받침되지도 않고 전제와 관련성을 갖고 있지도 않음이 분명하다. 신체적, 감정적 차이가 상이한 권리와 기회를 함축함을 증명해주는 근거가 전혀 제시돼있지 않다.

◆ **잘못된 원인의 오류**(*false cause*): '잘못된 원인'은 원인과 결과에 대한 의심스러운 결론을 통칭하는 말이다. 결론이 의심스럽게 되는(또는 의심스럽다고들 하게 되는) 이유를 알고 싶다면 5장을 다시 읽어보라.

◆ **잘못된 딜레마의 오류**(*false dilemma*): 상대방에게 딜레마를 제기하되 그 딜레마가 흔히 서로 정반대인 두 가지만을 선택지로 한정하고 그 내용이 상대방에게 불공정한 경우. "미국, 사랑할 것인가 떠날 것인가?"라는 질문을 예로 들 수 있다. 좀 더 미묘한 예로는 어느 학교의 학생신문에 나온 다음과 같은 구절을 들 수 있다. "우주는 무로부터 창조될 수는 없었을 것이니 어떤 지적인 생명력에 의해 창조된 게 틀림없다." 글쎄, 어쩌면

그럴지도 모르겠다. 그러나 어떤 지적인 생명력에 의한 창조가 유일한 다른 가능성인가? 이 논증은 대안의 선택지를 간과하고 있다.

특히 윤리와 관련된 논증은 잘못된 딜레마의 오류에 빠지기 쉬운 것으로 보인다. "태아는 우리가 갖고 있는 모든 권리를 똑같이 갖고 있는 인간"이라는 주장과 "태아는 도덕적인 의미를 전혀 갖고 있지 않은 조직 덩어리"라는 주장이 맞서는 경우가 그렇다. 또한 "동물을 재료로 해서 만든 제품을 사용하는 것은 모두 나쁜 행위"라는 입장과 "동물을 재료로 해서 만든 제품이라도 현재 사용되고 있는 것이라면 그러한 사용은 모두 받아들일 수 있다"라는 입장이 맞서는 경우도 그렇다. 실제로는 대부분의 경우에 어떤 다른 가능성이 존재한다. 당신이 검토하는 선택지의 수를 줄이지 말고 늘려보려고 하라!

◈ **뼈가 들어있는 말을 사용하는 오류**(*loaded language*): 주로 감정을 건드리게 돼있는 말을 사용하는 것. 이런 오류를 저지르는 진술은 사실 논증이 될 수 없고, 단지 교묘한 조작의 한 형태일 뿐이다. 규칙 5를 보라.

◈ **재서술에 그치는 오류**(*mere redescription*): 결론에 대한 어떤 구체적이고 독립적인 근거를 제시하지 않고 결론을 다른 표현으로 다시 서술하기만 해서 전제로 제시하는 것. (넓게 보면 재

서술에 그치는 오류는 논점을 회피하는 오류의 한 가지 형태다. 그러나 이 오류에서는 결론이 실제로 전제의 전제가 된다고 우리가 말할 수 있게 할 정도로 충분히 전제와 결론이 구별되지 않는다. 재서술에 그치는 오류는 별도의 오류로 인식하는 것이 낫다.)

> 레오: 마리솔은 훌륭한 건축가다.
> 라일라: 그렇게 말하는 이유가 무엇인가?
> 레오: 마리솔은 매우 유능한 건물설계자이기 때문이다.

그런데 훌륭한 건축가인 것은 매우 유능한 건물설계자인 것과 기본적으로 같다. 레오는 자신의 처음 주장에 대한 어떤 구체적인 증거를 실제로 제시하지 않고 그 주장을 다른 표현으로 진술하기만 했을 뿐이다. 전문가들이 그렇게 인정한다는 사실이나 마리솔이 설계한 건물이 좋은 평가를 받고 있다는 사실 등이 실제의 증거가 될 수 있을 것이다.

단순한 재서술의 오류를 풍자적으로 보여주는 하나의 고전적인 예가 몰리에르의 희곡 《상상병 환자》에 나온다. 돌팔이 의사 가운데 한 사람이 특정한 약이 '최면요소'를 갖고 있다는 것만으로 그 약이 사람들을 잠들 수 있도록 돕는 이유를 설명한다. 이런 돌팔이 의사의 말은 그런 효과의 이유를 이해하는 데 크게 도움이 되고 과학적이기도 한 설명으로 들릴지 모르지만, 이내 당신은 그 돌팔이 의사가 그 약은 사람들을 잠들게 한다고 말한 것에 불과함을 알아차릴 것이다. 그의 말은 '어떻게'나 '왜'에 관해서는 아무것도 이야기해주지 않는다. 그것은 하나의 설명인 것처럼 보이지만 사실은 아무것도 설명하지 않고 단지 같은 말을 반복한 것일 뿐이다. 그게 그거다.

◈ **도출되지 않는 결론을 내리는 오류**(*non sequitur*): '도출되지 않는' 결론, 즉 증거로부터 합리적으로 추리되지 않는 결론, 심지어는 증거와 관련성이 전혀 없는 결론을 내리는 것. 이것은 부당한 논증을 가리킬 때 매우 일반적으로 사용되는 용어다. 부당한 논증을 만나게 되면 구체적으로 그 논증의 어느 부분이 어떻게 잘못됐는지를 알아보도록 하라.

◈ **지나친 일반화의 오류**(*overgeneralizing*): 너무 적은 수의 예로부터 일반화를 하는 것. 당신의 학교친구들이 모두 다 운동선수이거나 경영학 전공자이거나 채식주의자라는 이유만으로는 당신이 다니는 학교의 학생들이 모두 다 운동선수이거나 경영학 전공자이거나 채식주의자라는 결론이 도출되지 않는다(규칙 7과 규칙 8을 상기하라). 규모가 큰 표본이라고 하더라도 그 표본이 대표성을 갖고 있음이 증명될 수 없다면 그 표본으로부터도 일반화를 할 수 없다. 이 점을 주의하라!

◈ **다른 가능성을 간과하는 오류**(*overlooking alternatives*): 이 세

상에서 일어나는 일은 단지 하나만이 아닌 다양한 이유로 일어날 수 있음을 잊는 것. 예를 들어 규칙 19는 사건 E_1과 E_2가 상관관계를 갖고 있다는 이유만으로 E_1이 E_2의 원인이라는 결론을 내릴 수 있는 것은 아님을 지적했다. E_2가 E_1의 원인일 수도 있고, 어떤 다른 사건이 E_1과 E_2 둘 다의 원인일 수도 있고, E_1이 E_2의 원인이 되는 동시에 E_2가 E_1의 원인이 될 수도 있고, E_1과 E_2가 사실은 서로 관련성을 갖고 있지 않을 수도 있다. '잘못된 딜레마의 오류'도 이 오류의 또 다른 예다. 대개는 선택지가 두 개만 있지 않고 훨씬 더 많이 있다!

◈ **설득적 정의의 오류**(*persuasive definition*): 용어를 정의할 때 직설적으로 정의하는 것처럼 보이지만 사실은 뼈가 들어있는 방식으로 정의하는 것. 예를 들어 '진화'를 '생물종은 수십 억 년으로 여겨지는 기간에 단지 우연적인 사건들의 결과로만 발전한다는 무신론적 견해'라고 정의하고자 하는 사람들도 있을 것이다. 설득적 정의에 호의적인 의도가 들어있을 수도 있다. 예를 들어 '보수주의자'를 '인간의 한계에 대해 현실적인 견해를 갖고 있는 사람'이라고 정의하는 경우가 그렇다.

◈ **우물에 독을 넣는 오류**(*poisoning the well*): 어떤 논증을 거론하기도 전에 그 논증을 미리부터 폄하하기 위해 뼈가 들어있는 말을 사용하는 것.

나는 당신이 ……라는 미신에서 아직도 벗어나지 못한 소수의 완고한 거부자들에게 속아 넘어가지 않았다고 확신한다.

다음은 좀 더 미묘한 예다.

분별 있는 사람은 누구도 ……라고 생각하지 않는다.

◆ **선후관계를 인과관계로 간주하는 오류**(*post hoc, ergo propter hoc*) [**'이것보다 뒤에, 따라서 이것 때문에**(*after this, therefore because of this*)**'라고 말하는 오류, 또는 줄여서 '포스트 혹 오류**(*post hoc fallacy*)**라고 불리기도 한다.]:** 시간상의 연속만을 근거로 안일하게 인과관계를 가정하는 것. 이는 5장에서 분명하게 설명하려고 한 오류를 가리키는 매우 일반적인 용어다. 5장을 참고해서 인과관계에 대한 더 개연성 있는 다른 설명은 없는지 생각해보라.

◆ **주의를 다른 데로 돌리는 오류**(훈제 청어의 오류, *red herring*): 관련성이 없거나 부차적인 주제를 끌어들여 주된 주제로부터 주의를 흩뜨리는 것. '훈제 청어'는 일반적으로 사람들을 금방 흥분시키기 쉬운 쟁점을 가리키며, 따라서 '훈제 청어'가 제시되면 사람들이 자신의 주의가 어떻게 흩뜨려지는지를 알아차리지 못한다. 예를 들어 여러 종류의 자동차들을 놓고 그 안전

성을 상대적으로 비교하는 논의를 할 때 '어떤 자동차가 국내에서 제조된 것인가'를 쟁점으로 제기한다면 그것은 '훈제 청어'다.

◈ **허수아비를 내세우는 오류**(*straw person*): 반대편의 견해를 희화화하는 것. 이 오류는 누군가에 의해 제시될 수 있는 견해를 과장해서 희화화하는 것이며, 따라서 쉽게 반박된다. 규칙 5를 보라.

부록 2

정의

어떤 논증은 단어의 의미에 주의를 기울일 것을 요구한다. 어떤 단어의 확립된 의미를 우리가 모를 수도 있으며, 그 확립된 의미가 전문적인 것일 수도 있다. 당신이 하고자 하는 논증의 결론이 '위잭은 초식성 동물이다'라고 가정해보자. 당신이 북아메리카의 알곤킨족 생태학자와 이야기하고 있는 게 아니라면 첫 번째로 해야 할 일은 당신이 사용할 용어를 정의(定義)하는 것이다.♠ 어디에서든 이런 결론을 만나게 된다면 당신에게 가장 먼저 필요한 것은 사전일 것이다.

어떤 경우에는 아주 흔하게 사용되지만 뜻이 확실하지 않은 용어가 있을 수도 있다. 예를 들어 '의사조력 자살'에 대해 많

♠ '위잭(Wejack)'은 북아메리카 동부에 서식하면서 물고기를 잡아먹고 살아가며 족제비와 비슷하게 생긴 동물을 알곤킨족(Algonquian) 사람들이 가리켜 부르는 이름이다. 초식성 동물이란 오로지 또는 대체로 식물만 먹는 동물을 가리킨다. 본문에 제시된 결론과 달리 위잭은 실제로는 초식성 동물이 아니다.

은 논쟁이 이루어지고 있지만 반드시 '의사조력 자살'이 정확히 무엇을 의미하는지가 이해된 상태에서 논쟁이 이루어지고 있지는 않다. 우리가 이에 대해 효과적으로 논증을 할 수 있으려면 그 전에 우리가 무엇에 대해 논쟁을 하는지에 대한 생각을 일치시킬 필요가 있다.

어떤 용어의 의미가 논쟁의 대상이 됐을 때에는 또 다른 종류의 정의가 필요하다. 예를 들어 '마약'이란 무엇인가? 알코올은 마약인가? 담배는? 알코올이나 담배가 마약이라면 우리는 그것에 대해 어떤 조치를 취해야 하나? 우리는 이런 질문들에 논리적으로 대답할 방법을 찾을 수 있을까?

용어가 불분명하면 정의를 구체화하라

내 이웃에 사는 여자는 자기 집 앞마당에 120센티미터 높이의
모형 등대를 설치했다가 시의 역사유적위원회로부터 법 위반
이라는 지적을 받았다. 시의 조례는 역사유적지구로 지정된 곳
에서는 집 마당에 어떠한 고정시설물도 설치하지 못한다고 규
정하고 있다. 그녀는 위원회에 소환당해 모형 등대를 제거하라
는 명령을 받았다. 논란이 빚어졌고, 그녀의 사건이 신문에도
보도됐다.

  그때 그녀가 궁지에서 벗어날 수 있게 해준 것은 사전이었
다. 《웹스터 사전》에 따르면 '고정시설물'은 '건물 같은 데 영
구적인 부속물이나 구조적인 일부분으로 고정되거나 부착된
것'이다. 그러나 그녀의 모형 등대는 이동이 가능한 것이었다.
그것은 오히려 잔디마당의 장식물과 비슷한 것이었다. 게다가
법은 고정시설물에 대해 무엇이든 다른 정의는 규정하고 있지
않았다. 그것은 '고정시설물'이 아니었고, 따라서 금지되는 것
이 아니었다.

쟁점이 더 까다로울 때에는 사전이 도움이 덜 된다. 예를 들어 사전에 나오는 정의가 당신이 정의하려는 단어 그 자체와 마찬가지로 불분명한 동의어들만 제공할 때가 많다. 또 사전은 여러 개의 정의를 제공하는 경우가 많아 그 여러 개 가운데서 하나를 선택해야 할 수도 있다. 그리고 사전이 틀리는 경우도 있다. 방금 든 예에서는 《웹스터 사전》이 주역의 역할을 했는지 몰라도 '두통'에 대한 이 사전의 정의에는 문제가 있다. 이 사전은 '두통'을 '머리의 통증'이라고 정의하고 있다. 이것은 정의치고는 포괄범위가 너무 넓다. 벌이 이마나 코를 쏘아도 머리에 통증이 생기겠지만 이런 통증은 두통이 아니다.

그러니 어떤 용어에 대해서는 당신 스스로가 그 용어를 더 정확하게 해줄 필요가 있다. 애매한 용어보다는 구체적이고 간명한 용어를 사용하라(규칙 4). 포괄범위를 지나치게 좁히지 않으면서도 구체적으로 용어를 정의하라.

유기농 식품은 화학비료나 살충제를 사용하지 않고 생산한 식품이다.

이와 같은 정의는 머릿속에 분명한 생각을 불러일으키며, 그 생각에 대해 당신이 조사를 해보거나 평가를 할 수도 있다. 물론 논증을 전개하는 과정에서 당신의 정의를 계속 고수해야 한다는 데 유의하라(말을 얼버무려 사용하는 오류를 저지르면 안 된다).

사전의 장점 가운데 하나는 상당히 중립적이라는 것이다. 예를 들어 《웹스터 사전》은 '낙태'를 '포유동물의 태아를 미숙한 상태에서 강제로 적출하는 것'으로 정의한다. 이것은 적절하게 중립적인 정의다. 낙태가 도덕적인지 비도덕적인지를 규정하는 것은 이 사전의 역할이 아니다. 낙태에 관한 논쟁의 한쪽 편에서 흔히 사용하는 다음과 같은 정의를 이것과 비교해보라.

낙태는 '아기를 살해하는 것'을 의미한다.

이 정의에는 뼈가 들어있다. 태아는 아기와 같지 않다. 그리고 '살해'라는 용어는 선량한 의도를 갖고 있는 사람까지 부당하게 사악한 의도를 갖고 있는 사람으로 비치게 하는 말이다. 태아의 생명을 끝내는 것은 아기의 생명을 끝내는 것과 비슷하다는 것은 주장해볼 수 있는 명제다. 그러나 이것은 논증을 통해 증명해야 하는 것이지 단순히 정의를 통해 가정할 것이 아니다(규칙 5와 '설득적 정의의 오류'에 대한 설명을 참고하라).

어느 정도는 조사를 해봐야 할 필요가 있을 수 있다. 예를 들어 '의사조력 자살'에 대해 조사를 해보면 그것은 의식과 이성이 있는 환자에게 자신의 죽음을 준비하고 실행할 수 있게끔 도움을 주는 행위를 의사에게 허용함을 의미한다는 사실을 알게 될 것이다. 환자 자신의 동의도 얻지 않고 그의 생명을 끝내는 행위(이는 '의사조력 자살'과 범주가 다른 일종의 '비자발적 안락

사'일 것이다)를 의사에게 허용하는 것은 의사조력 자살의 의미에 들어있지 않다. 이렇게 정의된 의사조력 자살에 대해 사람들이 반대할 근거도 얼마든지 있을 수 있다. 그러나 그러한 정의가 처음부터 확실하게 돼있다면 논쟁의 당사자들이 서로 다른 의견을 주장하더라도 적어도 논쟁의 대상은 일치시켜 같은 것에 대한 논쟁을 할 수 있을 것이다.

때로는 우리가 어떤 용어에 대해 그것이 적용되는지 안 되는지를 판정하기 위한 특정한 기준이나 절차를 구체적으로 정하는 방식으로 정의를 내릴 수도 있다. 이런 방식의 정의를 '조작적 정의(operational definition)'라고 한다. 예를 들어 미국 위스콘신 주의 법은 모든 '(입법)회의'는 공개돼야 한다고 규정하고 있다. 그런데 어떤 회의가 이 법의 취지에 정확하게 들어맞는 회의일까? 위스콘신 주의 법은 그럴듯한 기준을 명시해 놓고 있다.

회의란 그 회의의 주제인 법안이 처리되는 것을 막는 데 충분한 수의 의원들이 모여 있는 것이다.

이는 흔히 쓰이는 '회의'라는 단어의 정의에 비해 그 포괄범위를 굉장히 좁힌 것이다. 그러나 의원들이 대중의 눈을 피해 중대한 결정을 하는 것을 막으려는 법의 취지는 잘 살리고 있는 정의다.

용어가 논쟁대상이 되면
확실한 사례에서 시작하라

때로는 용어가 논쟁의 대상이 된다. 용어 그 자체의 적절한 적용을 놓고 사람들이 다투는 경우가 있다는 것이다. 이런 경우에는 단순히 용어의 의미를 명확하게 하는 것만으로는 부족하다. 보다 관련성이 높은 논증이 필요하다.

어떤 용어가 논쟁거리가 되고 있을 때에는 그 용어와 관련된 것들을 세 개의 집합으로 구별해볼 수 있다. 첫째 집합은 그 용어가 확실하게 적용되는 것들의 집합이다. 둘째 집합은 그 용어가 확실하게 적용되지 않는 것들의 집합이다. 이 두 가지 집합 사이에 그 용어가 적용되는지 그렇지 않은지가 확실하지 않은 것들의 집합이 있다. 이 셋째 집합에는 논쟁의 대상이 되고 있는 것들도 포함된다. 이제 당신이 해야 할 일은 다음의 요건에 부합하는 용어의 정의를 정식화해내는 것이다. 그 정의는

1. 용어가 확실하게 적용되는 모든 것을 포함한다.
2. 용어가 확실하게 적용되지 않는 모든 것을 제외한다.

3. 이 둘 사이에 가장 간명한 구분선을 그으며, 그 구분선이 다른 곳에는 그을 수 없고 바로 그곳에만 그어야 하는 이유를 설명한다.

예를 들어 '새'를 어떻게 정의해야 할지를 생각해보자. 정확하게 어떤 것들이 새인가? 박쥐를 가리켜 새라고 말할 수 있나?

첫째 요건을 만족시키기 위해서는 정의해야 할 대상이 속하는 일반적인 범주, 즉 유(類, genus)에서 출발하는 것이 도움이 될 때가 많다. 새에 대해 생각해보자. 새가 속하는 자연의 유는 동물일 것이다. 다음으로 둘째 요건과 셋째 요건을 만족시키려면 새가 다른 동물들과 어떻게 다른지(이것을 종차(種差, differentia)라고 한다)를 구체화할 필요가 있다. 따라서 우리의 물음은 이렇게 된다. "정확히 어떤 점이 다른 동물들로부터 새를, 더 정확하게 말한다면 '모든 새를, 그리고 오직 새만을' 구별하게 해주는가?"

이 일은 얼핏 보기보다 까다롭다. 예컨대 '날 수 있는가'를 구분선으로 잡을 수는 없다. 왜냐하면 타조와 펭귄은 날지 못하기 때문이다. 이런 경우를 감안하면 '날 수 있다'라는 정의는 모든 새를 다 포괄하지 못하므로 첫째 요건에 위배된다. 그런가 하면 땅벌과 모기는 날기는 하지만 새는 아니다. 이런 경우를 감안하면 '날 수 있다'라는 정의는 새가 아닌 것도 새에 포함시키게 되므로 둘째 요건에 위배된다.

모든 새를, 그리고 오직 새만을 구별하게 해주는 것은 바로 '깃털을 갖고 있는가'다. 펭귄과 타조는 날지는 못하지만 깃털을 갖고 있다. 따라서 펭귄과 타조는 날지는 않더라도 새다. 그러나 곤충은 깃털을 갖고 있지 않으며, 당신이 궁금하게 여겼을 것 같은 박쥐도 깃털을 갖고 있지 않다.

좀 더 까다로운 예를 생각해보자. '마약'을 어떻게 정의해야 할까?

다시 분명한 경우에서부터 시작해보자. 헤로인, 코카인, 마리화나는 확실히 마약이다. 공기, 물, 대부분의 식품, 샴푸는 확실히 마약이 아니다. 이것들은 모두 마약처럼 물질이고 우리 몸의 일부에 흡수되거나 바르는 것이지만 마약은 아니다. 담배나 알코올은 불확실한 경우에 해당한다.♠

그렇다면 이제 던져야 할 물음은 다음과 같다. 확실히 마약인 모든 경우를 포함하고 확실히 마약이 아닌 물질은 어떠한 것도 포함하지 않도록 두 경우 사이에 분명한 구분선을 그어주는 일반적인 진술은 무엇인가?

....
♠ 다른 방식으로 불확실한 경우로 아스피린, 항생제, 비타민, 항우울제와 같은 물질을 들 수 있다. 이것들은 약국에서 살 수 있는 종류의 물질이며, 약학적인 의미에서 '약(drug)'이라고 불린다. 그러나 이것들은 '의약품'이지 지금 우리가 논의하고 있는 도덕적인 의미의 '마약(drug)'이 아니다.

마약은 '마음이나 신체에 어떤 방식으로든 영향을 끼치는 물질'로 정의돼왔다. 심지어 대통령 직속의 마약 관련 위원회의 정의도 그렇다. 그러나 이 정의는 너무 포괄적이다. 이 정의에 따르면 공기, 물, 식품 등도 마약에 포함된다. 따라서 이 정의는 둘째 요건에 위배된다.

그렇다고 '우리의 마음이나 신체에 어떤 방식으로든 영향을 끼치는 불법적인 물질'이라고 정의할 수도 없다. 이 정의는 어느 정도는 올바르게 마약에 속하는 물질들의 집합을 표현해줄지 모르지만 셋째 요건을 만족시키지 못한다. 이 정의는 구분선이 왜 거기에 그어졌는지도 설명하지 않는다. 그렇다면 결국 마약을 정의하는 데서 우선적으로 중요한 것으로 고려해야 할 것은 어떤 물질이 합법화돼야 하고 어떤 물질이 합법화되면 안 되는지를 결정하는 일일까? 마약을 불법적인 물질로 정의해버리면 이런 결정을 하는 일의 의미가 없어진다(엄밀하게 말하면 이런 정의는 논점을 회피하는 오류를 저지르는 것이다).

그렇다면 다음과 같은 정의는 어떨까?

마약은 어떤 특정한 방식으로 마음의 상태를 변화시키는 데 주로 사용되는 물질이다.

헤로인, 코카인, 마리화나는 명백히 이 정의에 부합한다. 식품, 공기, 물은 그렇지 않다. 왜냐하면 이런 물질들은 설령 마음에 영향을 준다고 하더라도 그 효과가 특정한 것이 아닌데다가 그 효과가 우리가 그것들을 먹거나 흡입하거나 마시는 주된 이유도 아니기 때문이다. 지금부터는 불확실한 경우를 생각해보자. 주된 효과가 특정한 것인가? 그리고 그것이 마음에 일어나는 효과인가? 지각왜곡 효과와 기분전환 효과는 마약과 관련해 벌어지는 도덕성 논쟁에서 우리가 주로 관심을 두는 문제인 것 같다. 이런 점을 고려하면 이 정의는 사람들이 실제로 원하는 종류의 구분을 가능하게 해준다고 주장하는 것도 가능하다.

마약은 중독성이 있다는 것을 요건에 추가해야 할까? 아마도 아닐 것이다. 중독성이 있지만 마약은 아닌 물질도 있다. 식품 가운데도 이런 물질이 있다고 볼 수 있다. 그리고 일부 사람들은 마리화나가 비중독성이라고 주장해왔다. 이처럼 '어떤 특정한 방식으로 마음의 상태를 변화시키는' 물질이 비중독성인 것으로 판명나면 어떻게 되나? 그렇다면 그것은 마약이 아닐까? 중독성은 아마도 '마약의 남용'을 정의해주기는 하겠지만 '마약' 그 자체를 정의해주지는 않는다고 봐야 할 것이다.

규칙 D3

정의가 논증을 대체할 수는 없다

정의는 우리의 생각을 체계적으로 정리하는 데 도움을 주고, 비슷한 것들끼리 묶을 수 있도록 도움을 주며, 핵심적인 유사성과 차이점을 가려내는 데도 도움을 준다. 단어들을 확실하게 정의하고 나면 사람들이 쟁점으로 부각된 것에 대해 사실은 의견차이가 전혀 없음을 알게 될 수도 있다.

그렇지만 정의가 그 자체로 어려운 문제를 해결해주는 경우는 드물다. 예를 들어 우리가 '마약'을 정의하려는 목적은 부분적으로는 특정한 물질에 대해 어떤 태도를 취할 것인지를 결정하려는 데 있다. 그러나 마약에 대한 정의 자체가 이런 문제에 대한 답변을 주지는 않는다. 앞에서 제안된 정의에 따르면 커피는 마약이다. 카페인은 확실히 특정한 방식으로 마음의 상태를 변화시킨다. 게다가 중독성도 지니고 있다. 그렇다고 해서 커피가 금지돼야 한다는 결론을 내려야 할까? 아니다. 커피는 그 효과가 경미하며 많은 사람들에게 사회적으로 긍정적인 효과를 준다. 우리가 어떤 결론을 끌어낼 수 있으려면 그 전에 이로움과 해로움을 어느 정도 저울질해보는 것이 필요하다.

마리화나는 제안된 정의에 따르면 마약이다. 마리화나는 금지돼야 할까? 이 질문에 대답하기 위해서는 커피의 경우처럼 더 많은 논증이 필요하다. 어떤 사람들은 마리화나 역시 그 효과가 경미하고 사회적으로 긍정적인 효과도 있다고 주장한다. 그들의 주장이 옳다고 가정한다면 당신은 마리화나가 마약이라고 하더라도 금지돼서는 안 된다고 논증할 수 있을 것이다. 이는 커피의 경우와 비슷하다. 또 어떤 사람들은 마리화나가 훨씬 더 안 좋은 효과를 낳는데다가 더 해로운 마약에 빠져들게 하는 '통로'가 되기 쉽다고 주장한다. 이런 주장이 옳다고 가정한다면 당신은 마리화나가 마약이든 아니든 금지돼야 한다고 주장하는 논증을 할 수 있을 것이다.

어쩌면 마리화나는 특정한 항우울제나 각성제에 아주 가까운 것일지도 모른다. 그런데 그런 항우울제나 각성제는 제안된 정의에 비추어 마약으로 판단된다고 해도 금지되기보다는 통제돼야 하는 의약품이다.

알코올은 제안된 정의에 따르면 마약이다. 사실 알코올은 가장 널리 사용되는 마약이다. 알코올의 해로움은 엄청나다. 알코올은 신장질환과 선천성 신체결손을 불러오고, 교통사고로 인한 사망의 절반을 유발하며, 이밖에도 여러 가지 해악을 낳는다. 알코올은 제한되거나 금지돼야 할까? 그래야 할지도 모르겠다. 그렇지만 이에 대한 반대논증도 가능하다. 이 문제는 알코올이 마약으로 판정되더라도 해결되지 않는다. 이 문제에 대한 판단은 알코올이 실제로 초래하는 결과에 따라 다를 것이다.

요약해 말하면, 정의가 분명함의 정도를 높이는 데는 기여하지만 그 자체만으로 논증이 이루어지는 경우는 거의 없다. 용어를 분명하게 하라. 당신이 묻는 질문이 무엇인지를 당신 스스로가 정확하게 알아야 한다. 그러나 분명함 하나만을 확보한다고 해서 당신이 묻는 질문에 대한 답을 얻을 수 있다고 기대하지는 말라.

참고문헌

이 책 《논증의 기술》의 전반적인 주제는 보통 '비판적 사고 (critical thinking)'라고 불리는 것이다. 만약 당신이 이 주제에 대해 더 많이 알고 싶은 학생이라면 학교에서 비판적 사고에 관한 강의나 강의제목에 '추리(reasoning)'라는 말이 들어간 철학 입문에 관한 강의를 찾아보라. 이 주제에 관한 책을 더 구해 읽어보고 싶다면 인터넷을 검색하거나 대학 도서관에 가서 찾아보라. 그러면 그런 내용의 교과서를 수십 권은 발견할 수 있을 것이고, 그 가운데는 데이비드 모로와 내가 같이 쓴 《논증의 연습》(David Morrow and Anthony Weston, A Workbook for Arguments, Second ed., Hackett, 2016)도 있을 것이다. 《논증의 연습》은 이 책에 정확하게 맞추어진 자매서다. 최근에 출판된 또 하나의 훌륭한 교과서는 루이스 본이 쓰고 여러 번 개정한 《비판적 사고의 힘》(Lewis Vaughn, The Power of Critical Thinking, Oxford)이다.

비판적 사고는 흔히 '형식논리학(formal logic)'에 대비해 '비형식논리학(informal logic)'으로 불린다. 형식논리학에 대한 공부는 이 책의 6장에서 소개된 연역논증의 형식을 배우는 것으로 시작되며, 그 다음에는 훨씬 더 범위가 넓은 기호에 의한 논리체계에 대한 연구로 넘어가게 된다. 만약 당신이 이러한 방향으로 공부를 더 하고 싶다면 역시 수십 종의 교과서와 그 밖의 다른 안내서들이 있으니 그것들을 이용하면 된다. 이 경우에는 '논리학(logic)'이나 '기호논리학(symbolic logic)'을 키워드로 해서 인터넷을 검색하거나 도서관에 가서 관련 서적을 찾아보면 될 것이다. 형식논리학과 비형식논리학을 결합시켜 함께 다룬 교과서들도 있다. 이런 교과서 가운데 가장 괜찮은 것으로는 데이비드 켈리가 쓴 《추리의 기술》(David Kelley, The Art of Reasoning, Norton, Fourth ed., 2013)을 들 수 있다.

수사학(rhetoric) 분야는 특히 논증에서 언어를 설득력 있게 사용하는 방법을 살핀다. 이 분야의 권할 만한 교과서 가운데 하나는 티머시 크루시어스와 캐롤린 채널이 함께 쓰고 여러 번 개정한 《논증의 목적: 교재와 독본》(Timothy Crusius and Carolyn Channell, The Aims of Argument: A Text and Reader, McGraw-Hill)이다. 수사학적 논증이나 구두논증에서 '권유적 기법'이나 '비논쟁적 기법'을 사용하는 요령을 알고 싶다면 선저 포스와 캐런 포스가 함께 쓴 《변환을 불러오기: 변화하는 세계를 지향하는 프레젠테이션》(Sonja and Karen Foss, Inviting Transformation: Presentational Speaking for a Changing World, Waveland Press, Third ed., 2011)을 보라. 학문적인 글쓰기에서 논리적이면서 수사적인 기법을 배우는 데 유용한 안내서로는 제럴드 그래프와 케이시 버컨스타인이 함께 쓴 《그들은 말한다, 나는 말한다》(Gerald Graff and Cathy Birkenstein, They Say, I Say, Norton, Third Ed., 2014)라는 책이 있다.

윤리학에서 비판적 사고가 수행하는 역할에 대해서는 내가 쓴 책 《21세기 윤리학 도구상자》(Anthony Weston, A 21th Century Ethical Toolbox, Oxford, Fourth ed., 2018)를 보라. 거꾸로 비판적 사고에서 윤리학이 수행하는 역할에 대해서는 《21세기 윤리학 도구상자》의 11장과 12장, 그리고 마틴 파울러가 쓴 《비판적 사고의 윤리적 실행》(Martin Fowler, The Ethical Practice of Critical Thinking, Carolina Academic Press, 2008)을 보라. 논증글을 창의적으로 쓰는 법에 관해서는 프랭크 시오피가 쓴 《상상력을 발휘하는 논증: 글 쓰는 사람들을 위한 실용적 선언서》(Frank Cioffi, Imaginative Argument: A Practical Manifesto for Writers, Princeton University Press, 2005)를 보라.

특히 오류에 대해 알고 싶으면 하워드 캐헤인과 낸시 캐번더가 같이 쓰고 여러 번 개정한 《논리학과 현대 수사학》(Howard Kahane and Nancy Cavendar, Logic and Contemporary Rhetoric, Wadsworth)을 보라.

문체(style)에 대해서는 윌리엄 스트렁크와 E. B. 화이트가 같이 쓰고 그동안 개정판 내기를 수없이 거듭한 《문체의 기초》(William Strunk and E. B. White, The Elements of Style,

Macmillan)에 견줄 만한 것이 아직 나오지 않았다. 《문체의 기초》는 이 책 《논증의 기술》과 아주 비슷한 취지로 저술됐다. 여기에서 소개한 책들을 서가의 어딘가에 꽂아두고 먼지가 쌓일 틈이 없을 정도로 거듭 읽고 자주 참고하라!

옮긴이의 후기

이 책의 원서 *A Rulebook for Arguments*는 미국에서 1987년에 초판이 출간된 이후 네 차례 개정을 거쳐 2018년에 다섯 번째 판으로 출간됐다. 초판이 나온 지 30년이 넘는 세월이 흘렀고, 그사이 이 세상에 많은 변화가 있었다. 그리고 이 세상의 변화는 독자의 관심과 요구에도 변화를 가져왔다.

지은이 앤서니 웨스턴은 그러한 변화에 대응해 판을 바꿔가며 이 책의 내용을 업데이트하고 업그레이드하는 노력을 꾸준히 기울여왔다. 예를 들어 직전 네 번째 판에는 구두논증과 인터넷상 정보원천 이용에 관한 내용을 추가하더니 이번 다섯 번째 판에는 공개토론에 관한 내용을 추가했다. 그러면서도 책의 분량이 원서 기준으로 120쪽을 넘지 않도록 책 내용 전체를 신중하게 깎아내고 다듬었다. '가급적 간략하면서도 이것 하나만으로 충분하도록!'이라는 이 책의 기본 취지를 살리기 위해서였다.

그러한 지은이의 노력 덕분에 이 책은 미국에서는 물론이고 우리나라를 비롯해 번역서가 출간된 다른 많은 나라에서도 논리학, 그중에서도 특히 논증에 관한 인기 있는 교과서이자 자습서로 확고하게 자리를 잡았다. 비판적 사고와 논리적 글쓰기나 말하기에 관한 입문 수준의 교재로 이 책을 능가한다고 할 만한 다른 책은 찾기 힘들다. 이 책은 한번 집어 들면 그 자리에서 다 읽을 수 있을 정도의 분량이지만 두고두고 다시 읽거나 참고하기에도 좋게끔 쓰이고 편집됐다.

우리나라에서도 대학입시, 취업과 전직 과정, 각종 자격시험 등에서 글쓰기 능력이 강조되면서 이 책과 같이 논리적 글쓰기의 요령을 익히는 데 도움이 되는 참고서에 대한 수요가 갈수록 늘어나고 있다. 감정까지 표현하기 위해 글에 멋을 부리는 것도 이 책이 초점을 맞추고 있는 논리가 정연한 논증을 할 줄 아는 능력을 토대로 하지 않고서는 사상누각일 뿐이다.

그러나 이 책이 그러한 능력을 기르는 데 도움이 주는 실용서이기만 한 것은 아니다. 민주주의는 서로 다른 의견들이 합의를 찾아가는 과정으로 볼 수도 있는데, 그 과정에서 자신의 논증을 올바로 구성하고 다른 사람의 논증을 제대로 평가하는 일이 중요하다. 이 책이 제시하는 논증의 규칙들은 그러한 논증의 구성과 논증에 대한 평가를 뒷받침하고 촉진할 수 있다. 이런 점에서는 이 책을 정치사회적 제안으로 읽을 수도 있다.

이를테면 압축적 민주화의 후유증으로 미숙한 모습을 여러 측면에서 드러내고 있는 우리나라의 민주주의를 보다 성숙시키기 위한 지혜를 이 책에서 얻을 수도 있지 않을까? 특히 이번 판에서 추가된 공개토론에 관한 장은 이런 관점에서 읽고 깊이 되새김질해볼 필요가 있다. 거기에는 남의 말을 먼저 경청하는 과정의 의미, 부정적인 것보다는 긍정적인 것을 제시해야 하는 이유, 양극단으로 쏠리기보다는 공감영역에 주목해야할 필요성, 논쟁의 상대방에게 예의를 지키는 태도의 장점 등이 서술돼있다.